本書出版得到清華大學雙高計劃資助

河岳英靈集研究

李珍華　傅璇琮　撰

傅璇琮文集

中華書局

圖書在版編目(CIP)數據

河岳英靈集研究/李珍華,傅璇琮撰. —北京:中華書局,
2023.3
（傅璇琮文集）
ISBN 978-7-101-16137-3

Ⅰ.河…　Ⅱ.①李…②傅…　Ⅲ.唐詩-詩歌研究
Ⅳ.I207.227.42

中國國家版本館 CIP 數據核字(2023)第 040336 號

書　　　名	河岳英靈集研究	
撰　　　者	李珍華　傅璇琮	
叢　書　名	傅璇琮文集	
責任編輯	李碧玉　郭惠靈	
責任印製	管　斌	
出版發行	中華書局	
	（北京市豐臺區太平橋西里 38 號　100073）	
	http://www.zhbc.com.cn	
	E-mail:zhbc@zhbc.com.cn	
印　　　刷	北京中科印刷有限公司	
版　　　次	2023 年 3 月第 1 版	
	2023 年 3 月第 1 次印刷	
規　　　格	開本/920×1250 毫米　1/32	
	印張 7¾　插頁 2　字數 165 千字	
國際書號	ISBN 978-7-101-16137-3	
定　　　價	48.00 元	

傅璇琮文集

出版説明

傅璇琮先生(1933—2016)，浙江寧波人。1951 年至 1955 年，先後就讀於清華大學中文系、北京大學中文系，畢業後在北京大學中文系任助教。1958 年 3 月調至商務印書館任編輯，後因出版分工調整，進入中華書局工作，歷任中華書局文學組編輯、古代史編輯室副主任、中華書局副總編輯、總編輯。2008 年受聘爲中央文史研究館館員。曾任國務院古籍整理出版規劃小組成員、秘書長、副組長，中國唐代文學學會會長，中國人民大學國學院特聘教授，清華大學中文系教授、古典文獻研究中心主任等。

傅璇琮先生是著名出版家。他一生致力於古籍整理出版事業，參與制訂《古籍整理出版規劃(1982—1990)》、《中國古籍整理出版十年規劃和“八五”計劃》、《中國古籍整理出版“九五”重點規劃》。在中華書局主持或分管編輯工作的數十年間，策劃、主持整理出版了一系列具有重大學術影響的古籍圖書，培養了一批中青年編輯人才。

傅璇琮先生是著名學者，“學者型編輯”的杰出代表，在古代文史研究領域筆耕不輟，著作宏富。其撰著的《唐代詩人叢考》、《唐代科舉與文學》等，體現了開創性的研究方法和深刻的治學理念，產生了廣泛而深遠的影響；其領銜和參與主編的《續修四庫全書》、《續修四庫全書總目提要》、《中國古籍總目》、《全唐五代詩》、《全宋詩》、《唐才子傳校箋》、《宋才子傳箋證》、《全宋筆記》、《唐五代文學編年史》等古籍整理圖書和學術著作，成爲相關領域的基礎性文獻和重要學術成果，在海内外學術界、出版界享有廣泛和崇高的聲譽。

此次整理出版《傅璇琮文集》，收録其個人著作《唐代詩人叢考》、《唐代科舉與文學》、《唐翰林學士傳論》、《李德裕年譜》四種，合著《李德裕文集校箋》、《河岳英靈集研究》兩种，另將傅璇琮先生1956年至2016年間發表在報刊雜誌和收録於文章專集的單篇文章，包括學術論文、雜文、隨筆，以及所作序跋、前言、説明等三百六十餘篇，依時間爲序結集爲《駝草集》。

文集的出版，得到清華大學以及傅璇琮先生家屬的鼎力支持，在此謹致謝忱！

中華書局編輯部

2023 年 3 月

目　録

前　記

　　本書分兩部分，前一部分是有關《河岳英靈集》及編選者殷璠的評論、考證，後一部分是《河岳英靈集》的整理點校。《河岳英靈集》是唐人所選唐詩的一種，但它不是一部尋常的詩歌選本，在中國詩歌史和文學理論史上，有其特殊的地位。從文獻材料上説，由於它的選録，保存了若干唐人的詩（其中如賀蘭進明、李巋等好幾位詩人，《全唐詩》據《唐詩紀事》採録，而《唐詩紀事》即直接採自《河岳英靈集》）。它的理論上的價值更加明顯。它所提出的興象説、音律説，鮮明地反映了盛唐時代詩歌高峰期的創作特色和理論特色。殷璠與王昌齡，是開元、天寶時期最具理論系統的詩論家。

　　但長時期來，這兩位詩論家的意義却得不到足夠的認識。原因在於研究不足。對於殷璠與王昌齡的研究，需要從理論探討與文獻整理兩方面入手，缺一不可。王昌齡，一般都單純地把他視爲有特出成就的詩人，而忽略他還是很有系統的、極富理論色彩的詩論家，他的《詩格》長時期中被認爲僞作，原因即在於没有對《詩格》進行實實在在的清理。對於《河岳英靈集》的研究，這些年來有一定的進展,有幾位研究者作出了很好的成績。但以往的研究還只限於一個一個專題,而更大的遺憾是,對《河岳英靈集》本身缺乏認真的整理,以致長時期來沒有能爲研究者提供一種較爲信實可靠的本子。

殷璠所編的這部詩選,他自己説是兩卷,宋人的公私書目,也都作同樣的記載。但從明代開始,却都著録成三卷,一些有名的刻書家,也按三卷本刻印,較早的兩卷本遂不爲人所知,以致清朝官修的《四庫全書總目提要》把它與鍾嶸《詩品》相並比,説鍾嶸《詩品》三卷分上中下三品,殷書既然也分爲三卷,當也同樣有抑揚之意。這就造成了評價上的極大的誤解。而在文獻整理上,自從三卷本流行,一般也就根據這三卷本來對詩人的作品進行文字上的校勘。本世紀五十年代,現在的上海古籍出版社前身中華書局上海編輯所,編印了一部《唐人選唐詩》。這部書的印行曾起到材料普及的作用,對研究者帶來較大的方便。但也有很大的不足,即底本選擇不嚴,校勘不細,《搜玉小集》等幾種都有這種缺陷,而問題最大的則是《河岳英靈集》。編者不選擇較早的兩卷本,却選擇後起的三卷本(四部叢刊初編影印明刊本),書後雖附有臨毛斧季、何義門的校記,却又缺漏極多。而又因爲自五十年代以來就僅僅印行了這一部《唐人選唐詩》,於是研究者在作文獻整理時即據此作爲版本的依據。這裹不妨舉一個小例子。近年巴蜀書社出版了王仲鏞先生的《唐詩紀事校箋》,這是一部很見工力的著作。但王先生在據《河岳英靈集》校勘時,當即是據這部五十年代印行的本子。這樣,就往往出現這樣的情況,即在作異文校時,校記中説《河岳英靈集》與此不同,而作某某,但實際上宋刻本《河岳英靈集》恰恰不作某某，而同於所校的文字。近代印刷術的發達固然可以促使古籍的流通，但如果採擇不當，工作做得不細，也反而可能以次品當真品，從而給文獻整理帶來更大的不便。

鑒於以上情況，我們遂決定對《河岳英靈集》本身進行清本正源的整理，希望恢復兩卷本之舊，並結合明代流傳的幾種本子，加以彙校。我們這樣做，是想爲理論探討提供較爲札實的材料基礎。同時也想表明，我們對於古代遺產的研究，確實需要對基礎工作的重視。我們對古代有代表性的著作，要一部書一部書進行清理和研究，做一項有一項的成績，使後來者能據此再向前進展，而不要仍遺留不少問題，使以後的研究者還不得不再回過頭來補正我們的遺誤。

前面的幾篇專文，有些曾在刊物上發表，這次作了若干改動。

我們誠懇地等待讀者的批評。

一九九一年一月

唐人選唐詩與《河岳英靈集》

　　《河岳英靈集》是專收盛唐詩的一部詩選,天寶後期丹陽殷璠編。在編選時,殷璠把他對同時代詩人的評論寫進這部《河岳英靈集》中,使這本詩選帶有文學批評的性質,而他的批評又牽涉到詩歌的藝術表現,詩歌的發展道路,以及內容與形式等具有一定理論色彩的問題,這就使他的批評又進入文學理論的範疇。但是《河岳英靈集》畢竟是詩歌選集,我們首先要把它放在具體的歷史環境中來考察。唐人編選本朝的詩歌,有它自身發展的軌迹。我們不妨循着這條軌迹,看看殷璠佔據着什麼樣的位置,他與其先行者相比,有否增加些什麼;與他以後的詩選家比較,他給予了什麼。在對他的詩歌批評與理論觀念進行具體的分析的同時,對唐人選唐詩的演進作一概括的考察,似也是合宜的。

　　殷璠以前的唐詩選本,據明胡震亨《唐音癸籤》卷三一"集錄"所載,有《續古今詩苑英華集》、《麗則集》、《詩人秀句》、《古今詩人秀句》、《玉臺後集》、《正聲集》、《奇章集》、《搜玉集》、《國秀集》等九種。其實還應當加兩種,即《翰林學士集》和崔融編的《珠英學士集》。這十一種如《麗則集》、《奇章集》、《搜玉集》因不知編撰者姓名，其書早已亡佚①，具體情況不得而詳，又如《珠英學士集》只記武則天時修《三教珠英》諸臣的詩，並無多大意義，其書也僅存殘本②，這些都不可論。現在讓我們以確知其編撰者姓名，並可以考知其書的，作一個較爲系統的回顧，並以之與《河岳英靈集》作一些比較（《翰林學士集》有傳本，收唐太宗、許敬宗等人詩，當另論）。通過這一回顧，希望對於從唐初至玄宗時期的唐詩編選，以及中晚唐時期的某些有代表性的選本，有一個大致的瞭解。

　　唐代前期的唐詩編選，也同當時的詩歌創作一樣，受六朝詩風的影響。似乎到高宗、武則天時，一些詩歌選本在編選本朝詩時，還是與前朝（尤其是與南朝）一起合編，這反映了當時一些編者們的文學觀念，他們還沒有認識到唐詩的獨立價值。

　　現今所知唐代第一個唐詩選本，是出於長安的一個僧人所

①現存的《搜玉小集》是否即爲《新唐書·藝文志》中的《搜玉集》，還不易確定。何焯疑爲後人僞託。傅增湘謂：“《搜玉》之名見於《通志》、《通考》，然與今本撰人、録詩之數均不相合。此本經毛氏刪併重訂，《四庫提要》頗議其非，以其次第紊亂，參差重出，舊時義例，無可尋考也。”因而以爲“義門以其書爲後人僞託，其說宜可信矣”（《藏園群書題記續集》卷五《校唐人選唐詩八種跋》）。

②《新唐書》卷六〇《藝文志》丁部集録載《珠英學士集》五卷，謂：“崔融集武后時修《三教珠英》學士李嶠、張説等詩。”元馬端臨《文獻通考》卷二四八《經籍考》載云：“《珠英學士集》五卷。晁氏曰：唐武后朝嘗詔武三思等修《三教珠英》一千三百卷，預修書者凡四十七人，崔融編集其所賦詩，各題爵里，以官班爲次，融爲之序。”此書元代以後，當已散佚，敦煌石窟中發現其殘卷，共有詩四十餘首，詳見王重民《敦煌古籍叙録》。

編,即釋慧净的《續古今詩苑英華集》①。與此同時,他的友人劉孝孫也編有一部類似的書,名《古今類聚詩苑》三十卷。但劉孝孫所編已經亡佚,而他爲慧净的書所寫的一篇序言却保存下來,由此使我們得以窺見慧净編選的宗旨。

《新唐書》卷六〇《藝文志》丁部集録載《續古今詩苑英華集》二十卷。《新唐書·藝文志》在另一處(丙部子録釋氏類)著録慧净的另一部著作《雜心玄文》,並云:"姓房,隋國子博士徽遠從子。"關於慧净的事跡,我們從《續高僧傳》卷三的傳文中可以得知,他俗姓房氏,常山真定人,隋國子博士徽遠之侄。十四歲即出家,隋文帝、煬帝時就有聲譽。唐貞觀時爲長安紀國寺主持,大臣房玄齡與結爲法友。高宗李治爲太子時,就曾請他主持普光寺。《全唐文》卷九〇四所載慧净《辭謝皇儲令知普光寺任啓》、《重上皇儲令知普光寺任謝啓》二文,即爲此而作(《全唐文》據《續高僧傳》輯録),皇儲即指李治。慧净卒於貞觀十九年(六四五),年八十六。

《續古今詩苑英華集》已佚,我們只能從《續高僧傳》中所載劉孝孫《沙門慧净英華序》瞭解其情況(也載於《全唐文》卷一五四)。這裏似應對劉孝孫作一些介紹。他的事跡附見於《舊唐書》卷七二《褚亮傳》後。《褚亮傳》中有一段話記叙唐太宗設文學館

---

①諸書所載,慧有作惠,净有作静的,今據《續高僧傳》、《新唐書·藝文志》作慧净,詳參《唐五代人物傳記資料綜合索引》(傅璇琮、張忱石、許逸民編撰,中華書局一九八二年四月版)第五九二—五九三頁慧净條及注(六)—(八)所考。

事：“始太宗既平寇亂，留意儒學，乃於宮城西起文學館，以待四方文士。……諸學士並給珍膳，分爲三番，更值宿於閣下，每軍國務靜，參謁歸休，即便引見，討論墳籍，商略前載，預入館者，時所傾慕，謂之登瀛州。”在這之後，即記劉孝孫事：

> 劉孝孫者，荆州人也。……孝孫弱冠知名，與當時辭人虞世南、蔡君和、孔德紹、庾抱、庾自直、劉斌等登臨山水，結爲文會。大業末没于王世充。世充弟僞杞王辯引爲行臺郎中。洛陽平，辯面縛歸國，衆皆離散，孝孫猶攀援號慟，追送遠郊，時人義之。武德初，歷虞州録事參軍，太宗召爲秦府學士。貞觀六年，遷著作佐郎，吳王友。嘗採歷代文集，爲王撰《古今類聚詩苑》四十卷。十五年，遷本府諮議參軍，尋遷太子洗馬，未拜卒。

又《新唐書》卷一二〇《褚亮傳》載秦府十八學士原有薛收，貞觀七年收卒，“復召東虞州録事參軍劉孝孫補之”。據《新唐書·藝文志》，他的著作尚有《二儀實録》一卷（屬乙部史録儀注類），與房德懋合撰《事始》三卷（屬丙部子録小説家類，當是《事物紀原》一類的書），又《隋開皇曆》一卷，《七曜雜術》一卷（屬曆算類）。

從以上記載可以看出，劉孝孫是在南朝的文學環境中成長起來的，他與南朝一些著名文人如虞世南、庾抱、孔德紹一樣，經過隋朝的短促時期，因其學識和文才而得到新建立起來的唐朝廷的重視。他的詩現存七首，特色不多，但似乎已多少擺脱六朝綺艷文風的影響。如《咏笛》一首："凉秋夜笛鳴,流風詠九成。調高時慷慨,曲變或凄清。征客懷離緒,鄰人思舊情。幸以知音顧,千載有高聲。"又如《早發成皋望河》:"清晨發岩邑,車馬走轔轔。回瞰黄河上,惝恍屢飛魂。……懷古空延佇,歎逝將何言。"(《全唐詩》卷三三)寫景抒情,行役懷古,已經向質樸方向發展。

《沙門慧净詩英華序》開首稱頌慧净於佛家教義涵養之深,後叙二人交誼:"予昔遊京輦,得伸敬慕。寥寥净域,披雲而見光景;落落閒居,入室而生虚白。法師導余以實際,誘余以真如,挹海不知其淺深,學山徒仰其峻極。"這是唐初士大夫與佛教徒交往的一段很好的材料,對研究僧人怎樣以佛學奥義來吸引文士,很有幫助。文章接着説:

> 嘗以法師敷演之暇,商榷翰林,若乃園柳天榆之篇,阿閣綺窗之咏,魏王北上,陳思南國,嗣宗之賦明月,彭澤之摛微雨,逮乎顔、謝掞藻,任、沈道文,足以理會八音,言諧四始,咸遞相祖述,鬱爲龜鏡。

從這段話中可以見出他們對建安至齊梁的詩歌有較廣泛的討論。接着説:

> 近世文人,才華間出。周武帝震彼雄圖,削平漳滏;隋高祖輯兹英略,龕定江淮。混一車書,大開學校。温、邢譽高於東夏,徐、庾價重於南荆,王司空孤秀一時,沈恭子標奇絶代。凡此英彦,安可闕如。自參墟啟祚,重光景曜,大宏文德,道

冠前王，邁軸之士風趨，林壑之賓雲集。故能抑揚漢徹，孕育
曹丕，文雅鬱興，于茲爲盛。……固請法師暫回清鑒，採摭詞
實，耘剪繁蕪。

這説明慧净所選起自北朝的周，南朝的梁陳。《唐音癸簽》説
明此書所輯爲"自梁至唐初劉孝孫"，是不錯的（胡震亨所謂至劉
孝孫止，也根據此篇序文末所云"予聊因暇日，敬述芳猷，俾郢唱
楚謡，同管弦而播響"）。

由於這個選集已經亡佚，前代文獻記載缺乏，我們未能知道
選目的詳細情況。但從以上所引，可知慧净與劉孝孫對於建安至
齊梁的詩人，所看重的還是一些寫景抒情之作，對建安文學的意
義，對齊梁文風的柔弱，缺乏認識，又加以貞觀前期詩歌還仍沿六
朝餘波，因此他們認爲唐初詩歌只不過是北朝温（子升）、邢
（邵），南朝徐（陵）、庾（信）的繼續，他們看不出新朝在文學上有
什麽變化，因此將唐初詩歌與周、梁時合編，在他們看來自是順理
成章的事。

劉孝孫雖然參加了唐太宗的文學館，但他對前代詩歌的發展
衍變，以及新時期詩風應當具有什麽新的特點，似都缺乏認識。
慧净得名於隋朝，作爲一個僧人，又囿于教義，他當然更不瞭解大
唐帝國的建立會對文學發展具有怎樣的意義。他們的識見都落
後於當時參預修史的大臣如魏徵、李百藥、令狐德棻等。唐朝建
立之初，即命朝臣修梁、陳、北齊、北周、隋史，貞觀三年（六二九），
唐太宗下令由魏徵總其成，加快修史的進度。貞觀十年（六三六）
五史相繼完成。他們修史的時間與慧净、劉孝孫討論、編撰選詩

的時間是相近的。而魏徵等却明確地提出了新建立的王朝對前朝文學提綱挈領式的看法。他們也肯定齊、梁時文人在藝術技巧方面的探討和成績，如説江淹、沈約等“縟彩鬱於雲霞，逸響振於金石，英華秀發，波瀾浩蕩，筆有餘力，詞無竭源”(《隋書·文學傳序》)；又説徐陵“其文頗變舊體，緝裁巧密，多有新意”(《陳書·徐陵傳》)。但在總體上，也就是詩歌的發展方向上，他們是予以否定的，並且指出這種文風對於國家政權的危害：“梁自大同之後，雅道淪缺，漸乖典則，争馳新巧。簡文、湘東，啓其淫放，徐陵、庾信，分路揚鑣。其意淺而繁，其文匿而彩，詞尚輕險，情多哀思。格以延陵之聽，蓋亦亡國之音乎！”(《隋書·文學傳序》)爲適應統一大帝國的建立，他們要求有這樣的一種文風，即取江左清綺，河朔剛貞，“掇彼清音，簡兹累句，各去所短，合其兩長，則文質彬彬，盡善盡美矣”(同上)。當然，這在當時只能是一種理想提出，文學創作的實際遠未具備這樣的條件，但畢竟發展的方向已經概括地、明確地指出。劉孝孫、慧净反映的是當時一般文士的認識，也與當時詩歌創作的實際相適應。他們與殷璠，處於極不相同的文學環境，以至幾乎無法加以比較。

　　過了三、四十年，即唐高宗、武則天時期，我們看到另一種唐詩選本的出現，這就是元思敬的《古今詩人秀句》。

　　《舊唐書》卷一九〇上《文苑傳》上《崔行功傳》後附記元思敬事，謂：“元思敬者，總章中爲協律郎，預修《芳林要覽》，又撰《詩人秀句》兩卷，傳於世。”《新唐書》卷六〇《藝文志》丁部集録，載高宗、武后時期朝臣所修的大型類書、總集，有許敬宗、劉伯莊等《文館詞林》一千卷，《麗正文苑》二十卷，另有《芳林要覽》三百

卷,參預編纂者許敬章、顧胤、許圉師、上官儀、楊思儉、孟利貞、姚
臻、寶德玄、郭瑜、董思恭、元思敬。《新唐書·藝文志》同卷並載
元思敬《詩人秀句》二卷。

元思敬的其他事迹未詳。《全唐詩》、《全唐文》都未曾收録
其文。羅根澤《中國文學批評史》(三)第二章《詩的對偶及作法》
曾疑元思敬即元兢。按羅説是。據《説文》,兢,敬也。元兢,字思
敬,名與字正合。《文鏡秘府論》南卷"論文意"類引"或曰"論秀
句一段,羅根澤謂即其《古今詩人秀句》序。這段文中説及參預修
纂《芳林要覽》,時與事都與《舊唐書》所載元思敬事相合①。

按《古今詩人秀句》一書已佚。據日本小西甚一《文鏡秘府論
考》第一章《成立考》②,元兢此書曾著録於《見在書目》中的總集
類,載爲二卷。《見在書目》即《日本國見在書目録》,編於日本陽
成天皇、宇多天皇年間(公元八七六—八九八,即唐僖宗乾符三
年—唐昭宗光化元年)。則元兢此書大約也是中唐時流傳到日本
去的。據《文鏡秘府論》南卷所載序,稱"時歷十代,人將四百,自
古詩爲始,至上官儀爲終",則似乎上溯兩漢。序中又云:

---

①《唐音癸簽》卷三一《集録》二,稱"唐人選唐詩,其合前代選者",於元思敬
　的《詩人秀句》後,又列《古今詩人秀句》,謂"吳兢同越僧玄監撰,二卷。
　皎然訾其所選不精,多採浮淺之言,無益詩教"。則似此《古今詩人秀句》
　爲吳兢所撰。查《新唐書·藝文志》,有吳兢所編《唐名臣奏》十卷,未載有
　《古今詩人秀句》。《舊唐書》卷一〇二有《吳兢傳》,稱其"勵志勤學,博通
　經史",直史館,修國史。"神龍中,遷右補闕,與韋承慶、崔融、劉子玄撰則
　天實録"。天寶八年卒。吳兢一生修史,與詩歌無緣,且時代已晚。《唐音
　癸簽》之吳兢,當是元兢之譌。
②小西甚一《文鏡秘府論考》,日本昭和二十三年四月出版發行。

余以龍朔元年爲周王府參軍,與文學劉禕之、典籤范履冰書,東閣已建,期竟撰成此録。王家書既多缺,私室集更難求,所以遂歷十年,未終兩卷。今剪《芳林要覽》,討論諸集,人欲天從,果諧宿志。常與諸學士覽小謝詩,見和宋記室省中,詮其秀句。……

元兢總章中爲協律郎,總章爲公元六六八一六七〇年。又於龍朔元年爲周王府參軍,龍朔元年爲六六一年。又據《舊唐書》卷七《中宗紀》,中宗李顯,顯慶元年(六五六)十一月生,"明年封周王,授洛州牧,儀鳳二年徙封英王"。儀鳳二年爲六七七年。則李顯封周王在六五七一六七七的二十年間。《古今詩人秀句》序謂兢撰此書歷十年之久尚未終二卷,乃因爲"王家書既多缺,私室集更難求",後因預修《芳林要覽》,又得與諸學士討論,"果諧宿志"。則此書之編撰爲元兢在周王府參軍時,同時又參預編修《芳林要覽》,則兢當以協律郎又兼在周王府供職。又據《舊唐書》卷八〇《上官儀傳》,上官儀之子庭芝亦"歷位周王府屬",可能與元兢同僚。《文鏡秘府論》天卷"調聲"引"元氏曰",曾載元兢《蓬州野望》詩,爲《全唐詩》未收者:"飄飄宕渠域,曠望蜀門限。水共三巴遠,山隨八陣開。橋形疑漢接,石勢似烟回。欲下他鄉淚,猿聲幾處催。"蓬州在今四川省林溪流域一帶。不知元兢因何而貶,也未知貶在何年。據《文鏡秘府論》所引,他尚著有《詩髓腦》一書,已散佚。在上述所引《詩人秀句序》的一段文字之前,已稱"皇朝學士褚亮,貞觀中奉敕與諸學士撰古文章巧言語",後又説"詮其秀句",似所選並非全篇,像《芳林要覽》那樣,都是摘抄佳句。

《玉海》卷五四載《瑤山玉彩》一書的編撰："龍朔元年,命賓客許敬宗、右庶子許圉師、中書侍郎上官儀、中書舍人楊思儉,即文思殿,採摘古今文章英詞麗句,以類相從,號《瑤山玉彩》,凡五百篇。"可見採摘古今詩文中的"英詞麗句",乃是當時的風氣,也是繼《藝文類聚》而來的把詩歌創作看成事類堆砌的一種作法。聞一多《類書與詩》(載《唐詩雜論》中)曾列舉唐初五十年間大量編修類書的情況,說:"假如選出五種書,把它們排成下面這樣的次第:《文選注》,《北堂書鈔》,《藝文類聚》,《初學記》,初唐某家的詩集,我們便看出一首初唐詩在構成程序中的幾個階段。"因此他曾形象地比喻說:"唐初五十年間的類書是較粗糙的詩,他們的詩是較精密的類書。"

元兢(思敬)所參預編修的《芳林要覽》也就是這樣的把詩歌的創作與類書的編纂結合起來的工作,而歸結點則是在追求詞藻的彫飾。《芳林要覽》的修纂者有上官儀,而《古今詩人秀句》在唐人的終點又是上官儀,就可見元兢的審美追求是怎樣反映高宗前期的文學環境——那正是"四傑"已經登上詩壇、陳子昂還未出場,上官儀的綺靡錯媚的詩風正彌漫於一時的文苑。楊炯《王勃集序》曾對那一時期上官體文風作過描畫:

> 嘗以龍朔初載,文場變體,爭構纖微,競爲雕刻,糅之金玉龍鳳,亂之朱紫青黃,影帶以徇其功,假對以稱其美,骨氣都盡,剛健不聞。(《文苑英華》卷六九九)

不過,我們還應注意到的是,元兢序中稱他選詩的宗旨是:

"以情緒爲先,其直置爲本,以物色留後,綺錯爲末,助之以質氣,潤之以流華。"元兢這裏提到選詩以情緒爲先,雖然他沒有具體闡述這個"情緒"究竟是什麼,但終究接觸到了詩歌創作的一些本質方面的東西。我們知道,陸機《文賦》是很重視情對於文學、特別對於詩歌創作的重要作用的,他在論述詩、賦、碑、誄、銘、箴、頌、論等文體時,特別提出"詩緣情而綺靡";在論到創作過程時,講到感興,也即是創作靈感、想象問題時說:"其始也,皆收視反聽,耽思傍訊,精騖八極,心遊萬仞。其致也,情瞳曨而彌鮮,物昭晰而互進。"指出在創作過程中,物象的清晰,是與作者主觀情緒越來越鮮明有着極其密切的關係。而當興會過去時,則先是"六情底滯,志往神留",於是就"兀若枯木,豁若涸流","理翳翳而愈伏,思軋軋其若抽"。元兢沒有像陸機那樣作細致的分析,但他概括地提出"以情緒爲先",並說"其直置爲本",雖然還失之籠統,但這與當時一味追求藻飾、失去真情的臺閣體詩已有所區別。而且他還提出"質氣"這一概念,這也是難能可貴的。不過他仍然把"質氣"放在輔助的地位("助之以質氣"),這比起當時王勃所要求的"氣凌雲漢,字挾風霜"(王勃《平臺秘略贊·藝文》)和"思飛情逸"、"興洽神清"(《山亭思友人序》)的詩風來,不免稍遜,比起後來殷璠在《河岳英靈集》中明確提出的"興象"、"氣骨"等概念來,就更有一段距離。但我們由此也可看出唐代詩選家漸進的痕迹。

這裏我們連類而及地介紹一下李康成的《玉臺後集》,因爲據《唐音癸籤》,《玉臺後集》也是"唐人選唐詩,其合前代選者"的一種,雖然編選者李康成的時代已晚,與殷璠同時,都是天寶時人。

《新唐書・藝文志》丁部集録載李康《玉臺後集》十卷,無"成"字,對其生平一無説明。後世有關李康成的記載,都是根據南宋劉克莊的《後村詩話》。《後村先生大全集》卷一七七《詩話續集》:

> 鄭左司子敬家有《玉臺後集》,天寶間李康成所選,自陳後主、隋煬帝、江總、庾信、沈、宋、王、楊、盧、駱而下二百九人,詩六百七十首,匯爲十卷,與前集等,皆徐陵所遺落者,往往其時諸人之集尚存。今不能悉録,姑摘其可存者於後。……天寶間大詩人如李、杜、高適、岑參輩迭出,康成同時,乃不爲世所稱,若非子敬家偶存此編,則諸多佳句失傳矣。中間自載其詩八首。……

在此之前,晁公武《郡齋讀書志》卷四下也著録《玉臺後集》十卷,謂"唐李康成採梁蕭子範迄唐張赴二百九人所著樂府歌詩六百七十首,以續陵編"。則南宋時其書尚存,恐明以後亡佚。晁《志》所採爲"樂府歌詩",今檢劉克莊所引詩有祖詠《愁怨》,《全唐詩》卷一三一祖詠詩題作《別怨》,爲五言四句:"送別到中流,秋船倚渡頭;相看尚不遠,未可即回舟。"又如張繼《望歸舟》:"暮暮望歸客,依依江上船,潮落猶有信,去楫未知旋。"今《全唐詩》張繼名下未收。崔國輔《採蓮》:"玉淑花紅發,金塘水碧流。相逢畏相失,並著採蓮舟。"見《全唐詩》卷一一九崔國輔詩,題《採蓮曲》。劉克莊在詩話中並記載李康成自作之詩,説"中間自載其詩八首，如'自君之出矣，弦吹絶無聲，思君如百草，撩亂逐春生'似六朝人語"。由這些記載看來，李康成似有意在徐陵的《玉臺新詠》之後，編一部梁至唐天寶年間文人仿作的樂府民歌詩①，但都爲五言四句，係仿南朝子夜歌體式。從其所選及自作的一些詩句看來，都還不失情趣，因篇帙散失，無從窺其全豹，也無從明瞭其選録宗旨，但可看出唐代一些詩人向六朝民歌學習的情況。所選均爲五言，這與《河岳英靈集》所選也以五言爲主一樣，似可見出一定的時代風尚。

　　《正聲集》是唐人選本朝詩的第一部，唐朝中後期的選家對它評價很高。高仲武《中興間氣集》的序中稱許它説："暨乎梁昭明，載述已往撰集者數家，推其風流，《正聲》最備，其餘著録，或未至焉。"高仲武把《正聲集》推崇爲前此詩選之冠，未必確當，還是顧陶《唐詩類選序》（《文苑英華》卷七一四，《全唐文》卷七六五）較爲公允，序中將它與《河岳英靈集》、《中興間氣集》、《南薰集》並列："雖前賢纂録不少，殊途同歸，《英靈》、《間氣》、《正聲》、《南薰》之類，朗照之下，罕有孑遺，而取舍之時，能無少誤。"顧陶對這四種書的取舍雖有意見，但仍是把它們視爲在此之前唐人選唐詩的代表著作。

　　《正聲集》三卷，《新唐書·藝文志》（丁部集録）記載爲孫季

①劉克莊所摘抄的《玉臺後集》詩句中，有"常聞浣紗女，復有弄珠姬"二句，下注"張祜《採花》"。今查《全唐詩》，張祜名下無此二句。張祜爲中晚唐時人，李康成爲天寶時人，不可能採祜詩。按晁公武《郡齋讀書志》稱《玉臺後集》所録"迄唐張赴"，今查《全唐詩》，亦無張赴其人。是否劉克莊《詩話》中之"張祜"爲"張赴"之誤，待考。

良撰。《舊唐書》卷一八九下《儒學傳》下《尹知章傳》後附載孫季良事:"孫季良者,河南偃師人也,一名翌。開元中爲左拾遺,集賢院直學士。撰《正聲詩集》三卷行於代。"孫季良之所以附於《尹知章傳》之後,是因爲他是尹知章的學生。尹知章是當時的一位著名儒家經師,中書令張説於睿宗初曾推薦他"有古人之風,足以坐鎮雅俗",授禮部員外郎,轉國子博士,"後秘書監馬懷素奏引知章就秘書省與學者刊定經史"。開元六年(七一八)卒,"所注《孝經》、《老子》、《莊子》、《韓子》、《管子》、《鬼谷子》,頗行於時"。可見是出入儒道、不拘一格的學者。知章卒後,"門人孫季良等立碑於東都國子監之門外,以頌其德"。

《新唐書》卷五八《藝文志》乙部史録職官類載《唐六典》云:"開元十年,起居舍人陸堅被詔集賢院修《六典》,玄宗手寫六條,曰理典、教典、禮典、政典、刑典、事典。張説知院,委徐堅,經歲無規制,乃命毋煚、余欽、咸廙業、孫季良、韋述參撰。"《六典》於開元二十六年(七三八)修成。又《新唐書·藝文志》丙部子録類書類載《初學記》的纂修:"張説類集要事,以教諸王,徐堅、韋述、余欽、施敬本、張烜、李鋭、孫季良等分撰。"《六典》和《初學記》是開元時纂修的兩部大書,一是政典,一是文藝性類書。孫季良先後參加編書工作,具體情況雖不得其詳,但也可見他是一位博達之士。《舊唐書》説他曾任集賢院直學士,而集賢院是開元中期張説主持下集文學、經學之士的著名學術機構,與貞觀時期的唐太宗文學館先後輝映。

《全唐詩》卷一一三載孫季良詩一首,但《全唐詩》作孫翃,翃應是翌(即翌)之形誤。詩題作《奉酬張洪州九齡江上見贈》。

《全唐詩》實本《唐詩紀事》，其書卷二二有"孫翃"條："張曲江在洪州，有《郡南江上別孫侍御》詩云：'雲障天涯盡，川途海縣窮。何言此地僻，忽與故人同。身負邦君弩，情紆御史驄。王程我安駐，離思逐秋風。'翃時以監察御史奉使洪州，酬云：'受命議封疆，逢君牧豫章。於焉審虞芮，復爾共舟航。悵別秋陰盡，懷歸客思長。江皋枉離贈，持此慰他鄉。'"按這兩首詩也見於四部叢刊影印明成化本《曲江張先生文集》卷四，前詩題作《郡江南上別孫侍郎》，"侍郎"當依《唐詩紀事》作"侍御"。此詩之後題爲《奉酬洪州江上贈監察御史孫翊》。這裏的"奉酬洪州江上見贈"當是詩題，而"監察御史孫翊"當是署名。唐集中往往附他人酬贈之作，並署官銜、姓名，後世不察，抄刻時與詩題連書，因而致誤。《曲江張先生文集》末曾附錄誥命，有開元十五年三月十三日《授洪州刺史制》，開元十八年七月三日《轉授桂州刺史兼嶺南按察使制》。張、孫詩中有"離思逐秋風"、"悵別秋陰盡"句，當作於開元十五年至十七年間。《六典》修成於開元二十六年，此後即未見孫季良事迹的記載，他當是開元時期的人。

《正聲集》已佚，無從知其詳情。《唐音癸籤》卷三一記唐人選初唐詩者三家，《正聲集》是第一家。又《大唐新語》卷八"文章"門載劉希夷事，謂："後孫翌撰《正聲集》，以希夷爲集中之最，由是稍爲時人所稱。"劉希夷是初唐詩發展中的一個重要人物，聞一多《宮體詩的自贖》（載《唐詩雜論》）論述初唐詩在揚棄宮體詩風的過程中，由盧、駱到張若虛，怎樣一步步地將男女之間的感情淨化，在這種發展中，劉希夷起了重要作用。他的"今年花落顏色改，明年花開復誰在"、"年年歲歲花相似，歲歲年年人不同"（《代悲白頭翁》），與張若虛《春江花月夜》同是初唐八十年間歌行體的傑作。另外，唐趙儋於中唐時爲陳子昂作《旌德之碑》，説陳子昂"有詩十首入《正聲》"（《陳子昂集》附録）。陳子昂詩的風格與劉希夷不同，但都同樣選入《正聲集》，可見孫翌是力圖反映初唐詩的全貌的，因而爲後來的詩選家所推重。

因此我們可以説，孫翌編《正聲集》，第一個把唐代詩歌作爲獨立的發展階段，而不是以前的一些選本那樣把初唐詩附麗於六朝之後，這是一個大功績。在這之後，《奇章集》（"録李林甫至崔湜百餘家詩奇警者"[1]）、《搜玉集》（"自四傑至沈、宋三十七人，詩六十三篇"）相繼編出，皆以初唐斷代，這都標明開元時人文學觀念有異於他們的前輩，他們已經有眼光與魄力把本朝八十年間的詩歌與唐以前相並立，顯示出開元前期詩歌創作與詩歌理論的趨向成熟。

在這之後，就是略早於殷璠的芮挺章《國秀集》。胡震亨將《國秀集》列爲"合選初盛唐"，説"所載李嶠、沈、宋，迄祖詠、嚴維九十人，詩二百二十篇，三卷。樓穎序稱其譴謫蕪穢，登納菁英，成一家之言"。這是根據今存《國秀集》前的一篇序的。其實這篇序中明確説明所選詩作乃"自開元以來，維天寶三載"，應當説是盛唐詩。序中叙述編選緣起時説：

---

[1] 此據《唐音癸籤》卷三一。根據《舊唐書》卷七四《崔湜傳》，湜得名於武后及中宗時，因交結太平公主，玄宗即位之初即將崔湜貶死。李林甫則是開元後期至天寶時宰相。二人時代不相及，崔湜在前。此處"李林甫"字有誤，或爲"李義府"之訛。

近秘書監陳公、國子司業蘇公嘗從容謂芮侯曰："風雅之後，數千載間，詞人才子，禮樂大壞，諷者溺於所譽，志者乖其所之，務以聲折爲宏壯，勢奔爲清逸，比蒿視者之目，聒聽者之耳，可爲長太息也。運屬皇家，否終復泰，優遊闕里，唯聞子夏之言；惆悵河梁，獨見少卿之作。及源流浸廣，風雲極致，雖發詞遣句，未協風騷，而披林擷秀，揭厲良多。自開元以來，迄天寶三載，譴謫蕪穢，登納菁英，可被管弦者都爲一集。"芮侯即探書禹穴，求珠赤水，取太沖之清詞，無嫌近溷；得興公之佳句，寧止擲金。道苟可得，不棄於厮養；事非適理，何貴於膏粱。

這篇序言未署姓名，而稱編者爲芮侯。最早以此序屬之樓穎者，爲宋人曾彦和，現存《國秀集》後有"大觀戊子"龍溪曾彦和跋，説："《國秀集》三卷，唐人詩總二百二十篇，天寶三載國子生芮挺章撰，樓穎序之。"大觀爲宋徽宗年號（一一〇七——一一一〇），可能曾彦和於北宋末所看到的本子，其序有樓穎署名，並載芮挺章爲國子生。今存《國秀集》前目録，於所選詩人姓名上各載其官職，未有官職者注明其身份，如處士、進士等。樓穎、芮挺章各冠以"進士"。按唐代科舉習稱，這是已被貢舉但尚未登第的舉子（已登進士第的稱"前進士"）。國子生即是在國子監所屬如太學、國子學、四門學等就讀以備應試的士子，因此也可稱進士。據此，則序作於樓穎，當屬可能。但《全唐文》未載樓穎文，而將此序屬於芮挺章（卷三五六）。按彦和在"事非適理，何貴於膏粱"下云：

其有巖壑孤貞,市朝大隱,神珠匿耀,剖巨蚌而寧周;寶劍韜精,望斗牛而未獲。目之縑素,有愧遺才。尚欲巡采風謠,旁求側陋,而陳公已化爲異物,堆案颯然,無與樂成,遂因絕筆。今略編次,見在者凡九十人,詩二百二十首,爲之小集,成一家之言。

這就是說,在編定之後,還擔心因囿於見聞,恐有遺珠之憾,擬再加搜採,但"陳公"已死,無人討論,只得就原所纂緝,略加編次。問題在於此處提到的秘書監陳公、國子司業蘇公是誰,如能考定這兩個人,則也能大致推測序的寫作時間。

今查史籍,此國子司業蘇公當爲蘇源明。《新唐書》卷二〇二《文藝傳》下有傳,稱其"工文辭,有名天寶間"。曾任東平太守,後爲國子司業。"安禄山陷京師,源明以病不受僞署。肅宗復兩京,擢考功郎中、知制誥"。後以秘書少監卒。《新傳》未載蘇源明任東平太守、國子司業的年月,而這可由蘇源明本人的詩文考知。《全唐詩》卷二五五載蘇源明《小洞庭洄源亭宴四郡太守詩》,其自序謂"天寶十二載七月辛丑,東平太守扶風蘇源明,觴濮陽太守清河崔公季重……於洄源亭"。同卷又載其《秋夜小洞庭離宴詩》,自序有云:"源明從東平太守徵國子司業,須昌外尉袁廣載酒於洄源亭,明日遂行,及祖留宴。"由此可知蘇源明於天寶十二載(七五三)七月在東平太守任,不久徵調入京爲國子司業,其時在安禄山起兵前。總之,都在天寶三載(七四四)之後。而開元末至天寶時陳姓曾任秘書監而又著名者,只有陳希烈。《舊唐書》卷九七《陳希烈傳》:"開元中,玄宗留意經義,自褚元亮、元行冲卒後,得希烈與鳳翔人馮朝隱,常於禁中講《老》、《易》。累遷至秘書少監。"天寶時與李林甫同在相位,楊國忠執政後,希烈失勢。安禄山攻佔長安,陳又受僞職,肅宗復京城,"六等定罪,希烈當斬,肅宗以上皇素遇,賜死於家"。其時爲肅宗至德二載(七五七)十二月。

據以上所考,則樓穎這篇序文當作於至德二載以後。又今本《國秀集》目録所載王維官職爲尚書右丞。按王維之任尚書右丞,兩《唐書》本傳都未有明確記載,但大致在肅宗乾元、上元間(七五九—七六〇)。根據這些材料,我們可以推定,芮挺章編《國秀集》,當在天寶三、四年間,其稿存於友人樓穎處,樓穎本擬續補,因循未果,約在肅宗上元中,就由樓穎爲之撰序,並編寫目録,出以問世。

宋人曾彦和的《國秀集》跋,認爲《河岳英靈集》較《國秀集》成書在後,"然挺章編選,非璠之比,覽者自得之"。但我們今天看來,無論樓穎序文,或集中所選,都不足以與殷璠相比。假如樓穎的序也可代表芮挺章思想的話,則芮面對當時已日麗中天的盛唐詩壇,實在沒有提出什麼值得稱道的見解。蘇源明得名於開元、天寶間,與杜甫"結交三十載"(杜甫《八哀詩》),也與高適爲友。陳希烈在遷任秘書少監後,又曾代張九齡判集賢院事,"玄宗凡有撰述,必經希烈之手"(《舊唐書》本傳)。但經樓穎轉述的蘇、陳的話,也不過儒家傳統的詩教那一套話,至於芮挺章選録的標準,雖然提出左思、孫綽("太冲之清詞"、"興公之佳句"),但書中所選,實未能相稱。首先是斷限不明,序中説是"自開元以來",而劉希夷爲高宗武后時人,杜審言、沈佺期都死於開元之前。如果要兼收初唐之詩，則又須顧及四傑、陳子昂等。開元、天寶間詩人，如李頎、常建、孟浩然、張九齡等，所選都非佳作，梁鍠的一首《觀美人臥》還明顯帶有宮體詩的餘風（如"落釵猶冒鬢，微汗欲銷黃，縱使朦朧覺，魂猶逐楚王"）。目錄中的官稱，疏誤殊多，如稱劉希夷爲"廣文進士"，實則廣文館之設乃在天寶九載（已在芮挺章所謂此集下限天寶三載之後），而劉希夷則遠在此以前。又稱高適爲"絳郡長史"，高適除了至德時曾一度任揚州大都督府長史外，更未有任他州長史的。唐人所選詩選入編者本人之作，就現今所見，似也以《國秀集》爲始作俑者，而書中芮、樓二人所作，也甚平庸。說《國秀集》編於《河岳英靈集》前，但據前所考，其問世恐尚在後，殷璠在編纂《英靈》、《丹陽》二集時，當未曾寓目。

在殷璠以前，就現今所知，唐人選唐詩約有十二種，我們重點考察了五種。應當説，《正聲集》的出現，是唐人選唐詩的一個突破，因爲它把唐詩和六朝詩清楚地劃出了一道界限，標明唐詩具有六朝詩無可代替的獨立的價值。而在唐詩本身的發展中，盛唐詩作爲古典詩歌的一個輝煌的高峰來説，也是明顯地與初唐劃了界限的；《國秀集》本應當擔負起將這一光輝的發展時期詩歌編選成集的任務，但由於編選者思想水平的局限，未能很好地肩起這一擔子。在這種情況下，殷璠的《河岳英靈集》出現了。在殷璠面前，就文學背景來説，他面對着這樣幾個實際：一是詩歌創作從初唐到盛唐的業績，特別是開元及天寶前期詩歌所表現出的那從未有過的種種奇姿壯態，應當怎麼認識。二是從魏徵、令狐德棻以來，經四傑、陳子昂，詩歌思想的演進，對這八十餘年來人們期望出現的、堪與這一鼎盛發達的古代社會相輝映的那種詩風，應有怎樣的具體要求。三是對在他之前的文學選本，那種在平靜狀態下緩慢行進的情況，應該怎樣要求在觀點和形式上有所突破。四是初唐詩學的另一側面，就是隨着律體的講求，由上官儀《筆札華梁》、元兢《詩髓腦》、崔融《新定詩體》所代表的探究詩的聲韵、對仗、用字等一系列著作，怎麼把它們從純技術形態上提高一步。關於殷璠的文學思想，我們將另撰文論述，這裏我們結合選本的考查，概括地説一下，那就是殷璠是比較自覺地企望將這四個方面結合起來的。在他之前詩歌選本一個很大的缺陷，就是未能很好地與當時的先進文學思想和業已前進了的創作實踐相配合，以致大多數選本缺乏理論上的吸引力。殷璠《河岳英靈集》出現於盛唐詩歌的高峰期，它不滿足於單純的選詩，而是對不少還在創作中的詩人加以評論，它是如此切近現實，使得評論與創作同步前進。殷璠提出的幾個詩歌概念，似乎一下子把人們對新時期詩風的要求明確了，而對於聲韵、用字的要求，也更從文學本身規律出發。這種種，使得文學選本不是作爲創作的一個無足輕重的附庸，而是作爲與創作並肩前進的文學伙伴。中國古代，選本在文學思想批評史上有着重要的地位，就是由於産生過像《昭明文選》、《河岳英靈集》那樣一批有獨立思想價值的文學選本。但可惜的是，唐人選唐詩，在殷璠之後，未能在已經達到的高度上繼續攀躋。在這之後，又流於平坡滑行的狀態。

現在讓我們進一步來考察殷璠以後的唐詩選本。

中晚唐及五代人編撰唐詩選集，數量繁多，蔚爲風氣。其中不少是友朋之間的唱和集,如李逢吉、令狐楚的《斷金集》一卷(陳振孫《直齋書録解題》卷一五作十五卷,云"唐令狐楚、李逢吉自为進士以至宦達所與唱酬之詩"),元稹、白居易的《元白繼和集》一卷,元稹、白居易、崔玄亮的《三州唱和集》一卷,劉禹錫、白居易的《劉白唱和集》三卷,裴度、劉禹錫的《汝洛集》一卷,令狐楚、劉禹錫的《彭陽唱和集》三卷,劉禹錫、李德裕的《吴蜀集》一卷,王涯、令狐楚、張仲素的《三舍人集》一卷,段成式、温庭筠、余知古的《漢上題襟集》十卷,另外還有父子兄弟合編的詩集,如《李氏花萼集》、《竇氏聯珠集》等。這些詩集除了反映中晚唐文人詩酒唱和的雅韻逸興,以便後世可藉此考知某些詩人的事迹之外,在文學思想上没有什麽價值,而且它們也幾乎都未保存下來,因此不擬論述。以下主要談幾種現存的選本。

在殷璠編成《河岳英靈集》後約七、八年,元結編《篋中集》。其書爲一卷,收沈千運、王季友、孟雲卿、張彪、趙微明、元季川七人詩共二十四首。這幾個人都是盛唐過來的,《篋中集》所收大部分是安史亂前的詩作,其中有的也爲《河岳英靈集》所收(如王季友《寄韋子春》,《河岳英靈集》卷上所録題作《山中贈十四祕書山兄》,且多四句,文字亦有異同)。元結在自序中叙其編選緣起云:

風雅不興,幾及千歲,溺於時者,世無人哉。……近世作者,互相沿襲,拘限聲病,喜尚形似,且以流易爲詞,不知喪於雅正。然哉彼則指咏時物,會諧絲竹,與歌兒舞女,生污惑之聲於私室可矣,若令方直之士,大雅君子,聽而誦之,則未見其可矣。

這幾句話,如果在四傑、陳子昂時,或在開元、天寶之際,人們將會容易理解,問題在於這是元結在肅宗乾元三年(七六〇)寫的,而在此之前,盛唐詩人們已用創作實踐比較徹底地清除了齊梁以來綺艷詩風的影響,一些在創作上有成就的詩人以及像殷璠那樣的評論家,已經對盛唐詩歌中所表現的某些藝術特質(如聲律風骨兼備、興象、追求清真自然之美)作了很好的闡釋。在這樣的一個詩歌高峰已經到達,還未成爲過去之時,元結卻來指責詩壇現狀,批評他所謂的"近世"作者的種種弊端,並以此作爲當前存在的一個主要不良傾向來加以批判,這就顯然缺乏時代感了。

因此,我們可以說,從詩歌理論的發展上來看,元結的觀念是陳舊的,他似乎缺乏整體把握的能力。他在創作上側重於質樸,有時不免枯槁,於是對盛唐詩歌中所表現的闊大壯麗,就較爲忽視,或者竟而視作"以流易爲詞"。因此,面對前一時期創作的豐富實績,元結不但沒有作出相應的理論上的總結或開拓,而且顯出受儒家傳統的詩教觀念的極大束縛,使人感到一種濃厚的復古氣息。

但《篋中集》仍有其意義。元結在序中說:

　　吳興沈千運,獨挺於流俗之中,强攘於已溺之後,窮老不惑,五十餘年,凡所爲文,皆與時異。故朋友後生,稍見師效,能侶類者,有五六人。嗚呼,自沈公及二三子,皆以正直而無禄位,皆以忠信而久貧賤,皆以仁讓而至喪亡,異於是者,顯榮當世。誰爲辨士，吾欲問之！

　　正如元結所説，《篋中集》所收的這幾位詩人，在此之前，是
"無祿位"、"久貧賤"的。這七人中，王季友後來仕宦稍達，做到
江西觀察副使，見于邵《送王司議赴洪州序》（《全唐文》卷二四
七），又見南宋王應麟《困學紀聞》卷一八引鮑止欽云："江西觀察
使李勉，時季友兼監察御史，爲副使。"李勉於代宗廣德（七六三—
七六四）中任江西觀察使。但此前三四年，即肅宗上元元年（七六
〇）冬，王季友與張彪都還是處士（見清趙搢《金石存》卷四《上元
元年華岳題名》"大唐上元元年冬十有二月十一日同謁華岳祠書
記"，署名者有"處士王季友，張彪"）。除王季友外，其他都終生
未仕，不得志於當世。
　　沈千運等既然大半生處於開元、天寶之世，他們現存的作品
主要也寫於安史亂前，但《篋中集》所收，却絲毫没有慷慨任氣、建
功立業的盛世之音，反而充滿不得志者的愁怨，人生短促的嘆息，
他們棲遲於山野，而不求過問世事。如：

　　　聖朝優賢良，草澤無遺匿。……一生但區區，五十無寸
禄。衰退當棄捐，貧賤招毀讟。棲棲去人世，迍邅日窮迫。
不如守田園，歲晏望豐熟。（沈千運《濮中言懷》）
　　　山中誰余密，白髮惟相親。雀鼠晝夜無，知我厨廩貧。
依依北舍松，不厭吾南鄰。有情盡棄捐，土石爲同身。（王季
友《寄韋子春》）
　　　老病無樂事，歲秋悲更長。窮郊日蕭索，生意已蒼

黃。……有才且未達,況我非賢良。幸以朽鈍姿,野外老風霜。(于逖《野外行》)

忽忽望前事,志願能相乖。衣馬久羸弊,誰信文與才。善道居貧賤,潔服蒙塵埃。行行無定心,壈坎難歸來。慈母憂疢疹,至家念棲棲。與君宿姻親,深見中外懷。俟余惜時節,悵望臨高臺。(張彪《北遊還酬孟雲卿》)

這些詩人似乎都把視線從社會轉向自身,題材範圍狹窄,但感情是誠摯的,筆力是深沉的。他們代表了盛唐之世的另一方面,即社會的不平對於某些詩人心理上的壓力。他們雖與盛唐的一些大家有交往(如李白《留別于十一兄逖裴十三遊塞垣》,杜甫《寄張十二山人彪》,高適《賦得還山吟送沈四山人》),但他們在詩歌史上的意義已屬於下一階段,中唐詩人張籍在《過千運舊居》詩中說:"時豈無知者,莫能敦此風。浩蕩意無睹,我將安所從。"《篋中集》的詩人在當世是寂寞者,要過了三、四十年,纔在孟郊、張籍等詩人那裏找到同調。

《中興間氣集》約編於貞元初。據編選者高仲武自序,謂此書所選,"起自至德元首,終於大曆暮年",又稱"唐興一百七十載,屬方隅叛渙,戎事紛綸,業文之人,述作中廢。粵若肅宗、先帝,以殷憂啓聖,反正中原"。這裏的"先帝",應指代宗。安史之亂是在代宗即位後纔最後平定的,因此以肅宗、代宗並稱,而唐建國一百七十年,則已至貞元初,故稱代宗爲先帝。此書共分兩卷,所選者有二十六人,詩一百三十二首。按緯書《春秋演孔圖》:"正氣爲帝,間氣爲臣。"《中興間氣集》得名,或即本此。

　　顧陶《唐詩類選序》舉出在他之前的四部詩選,即《英靈》、《間氣》、《正聲》、《南薰》。《正聲集》、《南薰集》已佚,以《英靈》、《間氣》兩集來看,《間氣》受《英靈》的影響是很顯然的。《河岳英靈集》分兩卷,《中興間氣集》也分兩卷。前者選詩至天寶十二載,近乎天寶末,後者則從至德元載開始,也似乎有意按時間順序接續。《英靈》所收絕大部分爲五言,《間氣》收詩一百三十餘首,七言(包括五七言雜體)不過十一首①,不到十分之一,連韓翃以七絕著稱的,也一首未收。特別是《英靈》人各有評,而《間氣》也是如此,雖然內容和深度不一,但體例非常接近,先是總論大體,後則列舉佳句,不過高仲武摘句較多,這也反映了大曆時期追求雕琢的詩風。晁公武《郡齋讀書志》說《南薰集》所收詩"人各繫名繫贊"②,可見《南薰集》也是於所選詩人名下有評贊的。我們有理由揣測,這種人各繫以評贊的體例可能即起自殷璠,他的《丹陽集》也是如此。這無疑是我國文學批評一個重要形式的創設。

　　高仲武的序中說:"古之作者,因事造端,敷弘體要,立義以全其制,因文以寄其心,著王政之興衰,表國風之善否,豈其苟悅權右,取媚薄俗者。今之所收,殆革前弊,但使體狀風雅,理致清新,

①所收七言,爲皇甫冉二首,杜誦五七言雜體一首,郎士元七律一首,五七言雜體一首,崔峒七律一首,張繼七絕一首,劉長卿七律一首,李季蘭七古一首,皇甫曾七律一首,張南史七律一首。

②《郡齋讀書志》卷二〇《南薰集》云:"右唐竇常集韓翃至皎然三十人約三百六十篇,凡三卷。其序云:'欲勒上中下,則近於褒貶;題一二三,則有等衰,故以西掖、南宮、外臺爲目,人各繫名繫贊。'"

觀者易心,聽者竦耳,則朝野通取,格律兼收。"他所要革的"前弊"不知何所指,當不是指前面的"古之作者",可能是指序中舉出的幾種唐詩選本,即《英華》失於浮遊,《玉臺》陷於淫靡,《珠英》但紀朝士,《丹陽》止録吳人"。高仲武雖然標榜儒家的詩教説,但其重點在於"體狀風雅,理致清新",尤其是最後一方面。其"觀者易心,聽者竦耳"也當是指詩歌的辭藻、音律。這部詩選正好是大曆詩風的反映,這是它的特點,也是其價值所在。晚唐時,鄭谷曾有詩云:"殷璠裁鑒《英靈》集,頗覺同才得旨深。何事後來高仲武,品題《間氣》未公心。"(《續前集二首》之一,《全唐詩》卷六七五)鄭谷確認《河岳英靈集》的價值,這是對的,但把《中興間氣集》否定太過,恐未見妥當。在唐代,選録能代表一代詩風的作品,選者又具有一定詩歌史發展眼光的,應當説要算是《中興間氣集》和它的前行者《河岳英靈集》了。

在這之後,有令狐楚的《御覽詩》一卷。據陸游跋,此書收三十人,詩二百八十九首,"元和學士令狐楚所集也"。跋又云:"按盧綸墓碑云,元和中,章武皇帝命侍臣採詩第名家得三百一十篇,公之章句,奏御者居十之一。今《御覽》所載綸詩正三十二篇,所謂居十之一者也。據此,則《御覽》爲唐舊本不疑。……《御覽》一名《唐新詩》,一名《選進集》,一名《元和御覽》云。"(《渭南文集》卷二六)毛晉跋也説:"唐至元和間,風會幾更,章武帝命採新詩備覽,學士彙次名流,選進妍艷短章三百有奇。"據此,則《御覽》詩是令狐楚於元和年間任翰林學士時所編。

按令狐楚爲翰林學士在元和九年(八一四)十一月至十二年(八一七)八月(據岑仲勉《翰林學士壁記注補》,載《郎官石柱題名新考訂》，上海古籍出版社一九六四年五月版）。令狐楚於元和年間享有文名，得憲宗賞識，劉禹錫説他在任翰林學士、中書舍人等内職時，"武帳通奏，柏梁陪燕，嘉猷高韻，冠於一時"（《唐故相國贈司空令狐公集序》，《全唐文》卷六〇五）。《舊唐書》卷一六六《元稹傳》稱其爲"一代文宗"。元稹於元和十四年自虢州長史還朝，這時令狐楚居相位，向元稹問起他的詞章；元稹感到受寵若驚，趕忙向令狐楚上書，其中説："竊承相公特於廊廟間道稹詩句，昨又面奉教約，令獻舊文，戰汗悚踢，慚忝無地。"

正因爲《御覽》詩是備皇帝觀覽的，編選者又是身居華閣的翰林學士，所以這個選本就有毛晋所説的"妍艷短章"的特點。所選的詩人自劉方平、皇甫冉起，至楊巨源、梁鍠，都選的是五七言律絶，尤以絶句較多，可以看出大曆至貞元年間近體詩發展的情況，這方面可以補《中興間氣集》的不足。作品的藝術風格是趨向於清麗明快，講究詞藻雕飾。元稹在上述的給令狐楚書啓中曾説到："常欲得思深語近，韻律調新，屬對無差，而風情宛然，而病未能也。"元稹這裏講的是元和體詩，而他所自謙爲"病未能也"的"韻律調新，風情宛然"這樣一種藝術追求，正好是令狐楚編選《御覽詩》的宗旨。從這裏可以看出近體詩從大曆至元和演進的痕迹。

中晚唐的幾種唐詩選本，姚合《極玄集》主要選大曆時期詩人（盛唐只王維、祖詠二人），而且主要選録五言（七言只韓翃七絶二首，朱放七絶一首）；其他幾種選本，如《又玄集》、《才調集》及已佚的《唐詩類選》，都有一種共同傾向，即他們已不是像從前的選家那樣，只選某一時期（如初唐、盛唐，或大曆、貞元），而是企圖通觀初唐以來的詩歌全貌，嘗試於做集大成的工作，但由於編選者才識不足，未能使這些選本反映唐詩多種風格、多種流派的豐富面貌。

《又玄集》的編者韋莊和《才調集》的編者韋縠，都先後仕宦於唐末五代的西蜀，一爲前蜀，一爲後蜀。五代十國是一個紛亂、割據的時代，戰爭頻繁，經濟受到極大的破壞，當時西南的蜀和東南的吳、南唐，相對安定，文學藝術在這兩個區域也相對發達。但這兩個地區的統治者在政治上未能有所作爲，相反地，這幾個小朝廷的君臣所追求的也無非是聲色犬馬，反映在文學上，也就像唐以前的南朝梁陳時那樣，把創作的題材局限於宮廷生活和男女私情，而藝術上則追求繁縟綺麗之美。這種審美風尚也反映在韋莊、韋縠的選本中。

《又玄集》共三卷，據其自序，選詩人一百五十人，詩三百首，初唐有宋之問，盛唐有李白、杜甫、張九齡、王維等十九人，歷中唐、晚唐至鄭谷、羅隱，最後選詩僧如皎然、無可、清江等十人，還選有婦人能詩者如李季蘭、薛濤、魚玄機等十九人，應當説是相當全面的。但韋莊在自序中説："自國朝大手名人，以至今之作者，或百篇之內，時記一章；或全集之中，唯徵數首。但掇其清詞麗句，錄在西齋，莫窮其巨派洪瀾，任歸東海。"可見他的選錄標準是清詞麗句。雖然韋莊本人有較高的藝術修養，其中所選的詩，如高適一首選其《燕歌行》，張九齡一首選其《望月懷遠》，李賀三首選其《雁門太守行》、《劍子歌》、《杜家唐兒歌》，都是他們的代表佳作①。但

---

① 所選孟郊詩，有《歲暮歸南山》，此當爲孟浩然詩。

總的説來,取舍的標準是較爲褊狹的,其中像李頎選其《漁父歌》一首,白居易選其《答夢得》、《送鶴上裴相公》等二首,則連"清詞麗句"也説不上了。

《才調集》的編者韋縠仕於後蜀,其書的規模是這幾種唐詩選本中較大的,選詩一千首,共十卷,初唐有沈佺期、王泠然,盛唐有崔國輔、孟浩然、王維、常建、李昂、高適、李白、岑參、劉方平、王昌齡、陶翰、祖詠、賀知章等,而大多數則是中晚唐,卷九後部分爲僧人,卷十全爲婦女,與《又玄集》大致相同。白居易選其《秦中吟》數首,這是前此選本所未有的,但未選杜甫。所編各家次序也很混亂,無一定章法,如卷一以白居易爲首,後面接着是薛能、崔國輔,後又是中唐的劉長卿、韋應物,其後又是時代較前的王維,王維之後又是賈島。其他卷也大體類似。且有重復收録的,如白居易兩見(卷一、卷五),高適兩見(卷三、卷八),王昌齡兩見(卷八、卷九)。編者在自序中説:"暇日因閱李、杜集,元、白詩,其間天海混茫,風流挺特,遂採摭奥妙,並諸賢達章句,不可備録,各有編次。或閒窗展卷,或月榭行吟,韻高而桂魄争光,詞麗而春色鬥美。但貴自樂所好,豈敢垂諸後昆。"可見他的審美趣向也是"韻高"、"詞麗",與韋莊相似。而且照自序的這幾句話看來,似隨得隨抄,個人把玩,因此既無一定的編次,又前後重複。有理由懷疑,《才調集》是摹倣《又玄集》,而又雜抄而成。

已佚的《唐詩類選》編於宣宗至僖宗年間,顧陶説他編此書歷時三十年,可見是經過幾次選揀而編定的。從現在保存的顧陶《唐詩類選序》和《後序》看來,他的選詩標準還是儒家的詩教説,主張通過詩作"以察風俗之邪正,以審王化之興廢",而且認爲自春秋至漢魏，“莫不由政治以諷諭，繫國家之盛衰”。至齊梁以後，則詩風隨着朝政不修而衰頹：“逮齊梁陳隋，德祚淺薄，無能激切於事，皆以浮艷相誇，風雅大變，不隨流俗者無幾，所謂亡國之音哀以思，王澤竭而詩不作。”他把詩歌的興衰原因完全歸結於政治得失。也正因如此，他推崇杜甫和李白，說：“國朝以來，人多反古，德澤廣被，詩之作者繼出。則有杜、李挺生於時，群才莫得而並，其亞則昌齡、伯玉、雲卿、千運、應物、益、適、建、況、鵠、當、光羲、郊、愈、籍，合十數子，挺然頹波間，得蘇、李、劉、謝之風骨，多爲清德之所諷覽，乃能抑退浮僞流艷之辭，宜矣。”這樣的叙述，大體上是不錯的。同時，他對於藝術上有所創新的詩人，也並不排斥，說：“爰有律體，祖尚清巧，以切語對爲工，以絶聲病爲能，則有沈、宋、燕公、九齡、嚴、劉、錢、孟、司空曙、李端、二皇甫之流，實繁其數，皆妙於新韻，播名當時，亦可謂守章句之範，不失其正者矣。”雖然這幾個人風格不盡相同，把他們排列在一起未必合適，但顧陶能把“切語對”、“妙於新韻”與“浮僞流艷之辭”區別開來，說明他還是有識別力的，這一點比元結前進了一步。

《唐詩類選》最大的不足在於貴遠而略近。他不選元、白的詩，曾有所辯解，說：“若元相國稹、白尚書居易，擅名一時，天下稱爲元白，學者翕然，號元和詩，其家集浩大，不可雕摘，今共無所取，蓋微志存焉。”說因爲元、白詩集太大，沒有辦法選取，顯然不成理由，顧陶不取的“微志”究竟何在？未得而詳。又說：

> 如相國令狐楚、李凉公逢吉、李淮海紳、劉賓客禹錫、楊茂卿、盧仝、沈亞之、劉猛、李涉、李璆、陸暢、章孝標、陳罕等

十數公詩,猶在世及稍淪謝,即文集未行,縱有一篇一詠得於人者,亦未稱所録,僻遠孤儒,有志難就,粗隨所見,不可殫論,終愧力不及心,庶非耳目之過也。近則杜舍人牧、許鄂州渾,洎張祜、趙嘏、顧非熊數公,並有詩句,播在人口,身没纔二三年,亦正集未得,絶筆之文若有所得,別爲卷軸,附於二十卷之外,冀無見恨。若須待見全本,則撰集必無成功;若但泛取傳聞,則篇章不得其美。以上並無採摭。(《唐詩類選序》,見《全唐文》卷七六五)

根據他的説法,如劉禹錫、李紳等雖早已逝世,但文集未行,恐未能選得恰當,杜牧、許渾等去世不過二、三年,亦不便選,這其實都不是正當的理由。而李商隱、温庭筠等當時已享盛名,顧陶在序中根本未加提及。這就使人感覺到他是有意略去近世詩人的。這與殷璠以選當時人詩爲主相比較,顧陶的識力與勇氣不免差遠了。

上面我們依次考察了殷璠前後唐詩選本的情況,從這個考察中可以得出什麽呢? 應當説,與中國古典詩歌在唐代的高度發展相適應,唐代的評論家是很重視詩歌的評選的,而且比較自覺地通過評選表達各自的文學主張和審美意向。在這一點上,他們各有自己的貢獻。但比較起來,《河岳英靈集》最爲突出。首先,殷璠非常明確地試圖通過盛唐詩歌的評選提出他的詩歌主張,那就是詩要有"神來、氣來、情來",要求建立"既多興象,復備風骨","既閑新聲,復曉古體","言氣骨則建安爲儔,論宫商則太康不逮"的一種既繼承前人遺產、又超越前人成就的詩風,這正是盛唐詩在理論上的反映。特別是在盛唐時期,除王昌齡等個別詩人外,別無其他評論家來做這方面的理論概括,唐代中後期的詩人和詩評家也缺乏對盛唐詩作整體的研究,因此殷璠對盛唐詩風的理論上的探討,就更顯得突出。尤其是,盛唐詩還在進行之中,殷璠是濯足於活水來探測其流向的,他所評選的詩人都與他生活於同時,而且在他編定此集時,大部分詩人還在世,有些作家的創作風格還在發展(如高適、岑參的邊塞詩),而殷璠就以理論家的敏感及時捕捉住詩人們獨有的風格特點。唯一缺憾是他未選錄杜甫。但這主要只能歸因於客觀條件的限制:一是杜甫那時剛進入詩壇不久,二是由於當時的交通條件,在杜甫困居長安開始絡繹寫出有特色的詩作時,僻居於江東丹陽一個小縣的殷璠還不可能及時得到信息(在杜甫死後,大曆中期,潤州刺史樊晃努力收集其遺作,也只能輯得《小集》六卷,就可想見當時詩歌流傳的困難)。

其次,殷璠異於其他選家的,是他提出了好幾個值得作理論探索的美學概念。如上面提到的他的三"來"說,以及繼陳子昂的寄與說以後所提出的興象說,他的聲律理論(據專家研究,在他之前,詩歌創作中雖已運用平仄,但平仄之名,是殷璠首先使用的)。這些理論上的建樹是其他幾種選集所缺乏的,而且即使放在古代文學理論思想史上來評價,也有一定的地位。

後世的評論也注意到了《河岳英靈集》的地位與影響,如沈德潛《說詩晬語》卷下說:"唐詩選自殷璠、高仲武後,雖不皆盡善,然觀其去取,皆有旨歸。"以《河岳英靈集》與《中興間氣集》並提,作爲唐人選唐詩的代表。翁方綱《石洲詩話》卷二又謂:"漁洋十選,大意歸重在殷璠、元結二本。"指出《河岳英靈集》與《篋中集》對王士禎編纂他的唐詩選的影響。清朝修的《四庫全書總目提要》曾稱許爲"凡所品題,類多精愜"(卷一八六《河岳英靈集》提要)。而差不多同時的吳喬在《圍爐詩話》中對殷璠的品題又作了具體的評議:

> 崔顥因李北海一言,殷璠目爲清秀,詩實不然,五古奇崛,五律精能,七律尤勝。崔曙五古,載《河岳英靈集》五篇,高妙沉着,殷璠謂其吐詞委婉,情意悲涼,未盡其美。璠謂薛據骨鯁有氣魄,斯言得之。陶翰詩,沉健、真惻、高曠俱有之。璠又謂劉慎虛情幽興遠,思苦語奇,得其真矣。

按吳喬的評論有失實的地方,如殷璠評崔顥,並沒有提到"清秀",相反地,他說崔顥少時爲詩有"浮艷"的毛病,後來身經邊塞戎旅,"忽變常體,風骨凜然"。崔曙詩,殷璠評爲"言詞款要,情興悲涼"(此據宋本,明刻本作"款詞要妙,情意悲涼"),與吳喬所謂"高妙沉着"意亦相近,不能說"未盡其美"。不過,無論如何,吳喬也同其他詩評家一樣,雖然還未能從總體上認識《河岳英靈集》的理論上的價值,但還是想對殷璠的品評作具體的商議,並給以程度不等的肯定的評價。就我們所見,在歷代的評論中,對《河岳英靈集》批評最苛刻,近於基本否定的,是清朝的何焯。

何焯對《河岳英靈集》有過批校,我們所見到的何焯批語,是北京圖書館善本部藏傅增湘校本《唐人選唐詩》八種,此爲明崇禎

元年毛氏汲古閣刻本,藏園老人臨何焯批校①。何焯對《河岳英靈集》所選,有一個總的評價,這就是:

> 此集所取不越齊、梁詩格,但稍汰其靡麗者耳。唐天寶以前詩人能窺建安門徑者,惟陳拾遺、杜拾遺、李供奉、元容州,諸人集中獨取供奉,又持擇未當;他如常建、王維則古詩僅能法謝玄暉,近體僅能法何仲容,殆不足以傳建安氣骨也。此書多取警秀之句,緣情言志,理或未當。

何焯此處陳義甚高,却不切合實際。初盛唐詩之所以能上繼建安並向前發展,並不只是靠幾個大家,而是靠幾十年來幾輩詩人的努力,集大成者的杜甫就曾高度評價過四傑、沈、宋,以及同時期的王維、孟浩然、高適、岑參、薛據等,李白對崔顥的欽仰是眾所周知的。說殷璠所選不越齊、梁詩格,實際上《河岳英靈集》除了杜甫外,盛唐名家都已收羅,則不啻說盛唐詩還未越出齊梁那種綺靡輕巧的格調,這恐怕稍具文學史常識的人都不能同意的。如果說殷璠所收未足以代表這些詩人的創作實際,這當然可以討論,但第一,殷璠是當時人選當時人詩,有些詩人還正處於創作的高峰,他們正在發展,有些優秀的作品還產生於《河岳英靈集》編定之後,而且即使同時,限於當時的交通條件和詩歌的傳佈條件,殷璠不可能在短期內就能獲知,如高、岑西北邊塞的詩,李白天寶末及安史亂後詩,王維後期詩,等等。第二,即就《河岳英靈集》所

①詳見本書《河岳英靈集版本考》。

選,已經是後世經常引用的各家優秀之作,如常建的《吊王將軍墓》、《宿王昌齡隱處》、《題破山寺後禪院》,李白的《戰城南》、《蜀道難》、《行路難》、《夢遊天姥山別東魯諸公》、《憶舊遊寄譙郡元參軍》、《古意》、《將進酒》、《烏棲曲》,王維的《入山寄城中故人》、《隴頭吟》、《少年行》,李頎的《古意》、《送陳章甫》、《聽董大彈胡笳聲兼語弄寄房給事》,高適的《封丘作》、《燕歌行》、《營州歌》,崔顥的《古遊俠呈軍中諸將》、《雁門胡人歌》、《黃鶴樓》,孟浩然的《歸故園作》、《夜歸鹿門歌》,崔國輔的幾首樂府短章,王昌齡的《少年行》、《塞下曲》、《長信宮》、《從軍行》,王灣的《江南意》,祖詠的《終南望餘雪作》。限於篇幅,不能盡舉。這些詩,豈齊、梁詩格所能牢籠?何焯說所選李白詩"持擇未當"。殷璠選李白詩十三首,大部分是古今傳誦的名篇,足可代表他前期詩的最高水平。又說此集所收"多取警秀之句,緣情言志,理或未當"。恰恰相反,殷璠的這部詩選,大部分是古詩,近體甚少,不像《中興間氣集》那樣以摘取佳句爲勝事的。

在一些批語中,何焯往往以齊、梁詩人作爲標的,評論盛唐諸家出自齊、梁的某家,或未及齊、梁的某家,如說常建的《吊王將軍墓》,"此詩極爲雅健,然只似虞羲《出塞》,到不得鮑明遠也"。說王維《春閨》"似陰鏗"。即使肯定的評價,亦以六朝詩作標準。如說常建《題破山寺後禪院》"此篇何減沈、謝"。說劉眘虛"宗仰二謝,氣骨亦復清峻",又評劉眘虛《暮秋揚子江寄孟浩然》,謂"玄暉、仲言不復能過"。評陶翰《乘潮至漁浦作》"何減謝玄暉"。對於一部詩選,可以評論其所選是否得當,是否能反映某一時期詩歌的概貌和水平,對於所選的詩人,也可以探討他與前代作家在風格上的某些聯繫，但像何焯那樣，處處以六朝甚至齊、梁來作評判標準，這不能不說是一種不值得肯定的復古思想。

何焯，字屺瞻，號義門，蘇州長洲人，生活於清初康熙時代。康熙二十四年（一六八五），年二十三，由崇明縣學生拔貢國子監，曾得到當時在京都的大名人徐乾學、翁叔元的賞識。康熙四十一年（一七〇二），因直隸巡撫李光地薦，召直南書房，後又兼武英殿纂修、武英殿編修，其間雖曾一度陷入文字獄，但不久即釋。他始終在這個皇朝的中心圖書館做編纂、校勘古書的工作，因此學問面還是比較廣的，據其學生沈彤所作《翰林院編修贈侍讀學士義門何先生行狀》所說："先生蓄書數萬卷，凡經傳、子史、詩文集、雜記、小學，多參稽互證，以得指歸，於其真偽、是非、密疏、隱顯、工拙、源流，皆各有題識，如別黑白，及刊本之譌闕同異，字體之正俗，亦分辨而補正之。其校定兩《漢書》、《三國志》，最有名。乾隆五年，從禮部侍郎方苞請，令寫其本付國子監，爲新刊本所取正。"何焯是一個認真的校勘學家，由於他學問的廣博，及所見書籍版本較多，因此經他所校的本子，往往成爲善本。但從見識來說，並未見佳。他自己險些因文字賈禍，在他那時，文字獄已時有發生，他是謹小慎微地怕涉及古代的某些大膽議論的，即使在古代詩文的注釋中有某些對封建帝王怨憤的詞句，他爲避嫌，也要特爲駁正，如其所著《義門讀書記》卷五一杜詩評，談到明人的杜集注，說："而明人注杜，則又多曲爲遷就，以自發其怨懟君父之私，其爲害蓋又有甚焉者矣。"他完全是自覺地把學術工作用來爲當代的政治服務的。也正因此，他對殷璠所選李白某些直接抨擊朝政、抒發有志不得伸的詩篇，就深致不滿，說李白詩

"持擇未當",也以此。何焯又受到當時八股取士的深刻影響，爲迎合當時舉子應試的需要，他也像《儒林外史》中的馬二先生那樣編八股制藝的參考讀本，並且由於他對儒家經書較爲熟悉，因此他所編的這些制藝書籍更得到當朝大臣的贊賞。據沈彤所作的行狀，說：

> 初，先生選刻四書文行遠集數種，流播遠近，皆能變學者舊習。既從安溪相國遊，得成宏先輩宗傳，復刻示歷科程墨三百篇。及以丁艱家居，益勸勵其窮六經，玩五子，以究極四書精蘊，爲著文之根本。李相國聞而喜，貽先生書曰："有明盛時，治太平而俗淳厚，士大夫明理者多，蓋經義之學有助焉。今無論已仕未仕，稍有才氣，輒慕爲詩古文，視經義如土苴，子誠諄諄以此指授，甚善。"

明清時期，受科試的影響，一些評論家，往往用八股制藝的格式和腔調來評論詩文，他們不看整體，只講究枝節字句的前後照應，而且復古氣息濃厚。何焯也是如此，不僅對《河岳英靈集》，就是對十分宗仰的杜甫詩，有時也是以齊、梁詩爲標準而加以評議。如《義門讀書記》卷五一評杜甫名篇《洗兵馬》，說是"齊梁體"。不過在《義門讀書記》中，還是可以看出他受到殷璠詩歌理論啓發的痕迹。在評詩時，他在《義門讀書記》中至少兩次用了"興象"一詞，如卷四六評蕭統《文選》中謝朓《新亭渚別范零陵》詩，說："雲去一聯，既有興象，兼之故實。"這與殷璠評孟浩然詩所說的"無論興象，兼復故實"，字句幾乎完全相同。又其書卷四十七評蕭統《文選》中丘遲《旦發漁浦驛》詩，謂“體物工矣，興象不逮”，用“興象”一詞對詩作提出更高的要求。這都可見出殷璠所提出的“興象”的概念所產生的久遠的影響。

盛唐詩風與殷璠詩論

一

《河岳英靈集》作爲一部專門纂集當代詩歌的選集有它自己的文學思想和批評標準。這些文學思想和批評標準不少是通過專門術語表達出來的。對於批評術語，文學史研究者差不多都有同感，即很多常用常見的術語如神、氣、情、風骨等等，往往因時因人而異，而且用之於不同的文學品類（如詩與散文）也各有異義。在漢語中，有些術語並沒有固定的形式，它們有很大的分離組合性（如風骨和氣骨的分離組合）。難怪一些西方學者在攻讀和研究中國文藝批評史上的一些用語時甚感頭痛。他們已習慣了在學術文章中先下定義，然後用繽繹討論的方法，對中國這方面不講求定義、不着重邏輯演繹的討論辦法，自然會感到不相適應。有一些學者認爲這是中西語言構造及審美觀念之所以不同。他們的一種看法是：拉丁系的語言（舉個例子說）是"建築性"的，一切字詞是構成一句或一個段落的磚塊。既然如此,則相互之間的賓主關係、屬性關係必須交待得清清楚楚。漢語則有些像"化學性"的,它的字詞是流動的,隨時相配而構成新的單元,而無拘於賓主、人稱等種種關係和要求。所以它多變、簡潔,富有韌性,用它構成的文學作品也富於暗示、隱喻、朦朧多彩,適於情調、氣氛的描寫——詩的語言。而其弱點則是準確度和精密性較差。這種情況也影響了中國古代文學理論思想的研究。

從嚴格的意義上來説,中國古代文學理論思想的研究,應當有現代語言學家參加,因爲語義的審訂是這一領域非常基本的工作。由於漢語缺乏形態和形式變化,而過去傳統的語言學研究又往往強調對漢語的本原的説明,而缺乏對於語言的形式的分析和形式化的探討,因此就不僅没有科學意義上的語法研究,就是語義的研究,也顯得支離零亂,不像西方語言學一開始就注重形式研究,追求確定性。語言不僅是人際交流的符號系統,它還體現每一民族的文化特點和思惟方式。漢語缺乏形態和形式變化的特點,反映在文學理論批評史上,是古代一些批評家往往從總體上去考慮問題,把握世界。這有它的優點,但隨之帶來的是語義上的不確定性,概念模糊,容易產生歧義,妨害我們作精確的分析。

在中國文學理論思想史上,還往往有這種情況,即它在發展過程中常常借用哲學的術語來表達自己對文學問題的看法。哲學術語本來就够歧義的了,文學理論批評的借用,並賦予自己的理解,情況就更爲複雜。如氣和道,是中國古代哲學上的兩個基本術語,也是兩個基本概念,文學理論批評史借用過來,不同的時代、不同的人作了各自的理解，意義出入就很大。"文以明道"和"文以載道"，明和載有何區別，而道的内涵和外延又怎樣界定，一直是個聚訟紛紜的問題。其他如神、情、比、興等等，都有類似的情況。中國文學批評史上概念模糊，歧義甚多，這是一個缺陷。對於這種情況，我們一方面應從歷史條件去加以說明，也就是從當時的文學環境出發，對這些概念、術語作較爲確切的、符合於那一時代較爲普遍認識的闡釋，另一方面運用我們掌握的現代文學理論，站在今天的高度，加以科學的分析。

《河岳英靈集》分《叙》、《集論》和對於入選詩人的"品藻"。《叙》着重於對内容、體裁以及詞句表現、文字使用等的探討和衡量，也談到了對唐代前期詩歌發展的看法；《集論》則主要討論音律問題，——關於這方面，本書另有《河岳英靈集音律説探索》，將詳細論述。《河岳英靈集》除了《叙》、《集論》之外，在"品藻"中還舉有例句。研究者可以把《叙》、《集論》以及對每個詩人的"品藻"中一些術語加以比較，作整體的考察，同時以例句和所選詩篇加以印證，這樣就能對這些術語所表達的概念有所把握。名詞和術語是瞭解殷璠文藝批評的入門手段，我們的研究似也應由此着手。

殷璠提出了一些術語，並給它們新的解釋，如他對神、氣、情及氣骨、風骨、興象等等的理解和運用，都與盛唐的時代精神有關。而他通過這些術語所標舉的理想詩境，也就成爲對當代文學的一種要求。這樣，就讓我們先來比較一下初唐和盛唐的不同的文學環境。

二

　　初唐八十年間，固然也有像隱居不仕的王績，以及長期在外地仕宦或浪迹的"四傑"，但是當時有影響的詩人群體，則主要依附於宫廷。唐太宗時，一些有名的文人，如虞世南、魏徵、令狐德棻等，多是朝廷的重臣。他們在議論上雖然反對江左的輕綺詩風，但他們所作的應制詩還是講究詞藻的繁縟。可以注意的是，那時的一些文學活動，除了應制外，還有是在王公大臣宴集時依韻作詩。從現今保存的材料，我們發現當時在長安，有兩個重要的文士們活動的場所，一個是于志寧府第，一個是楊師道府第。于志寧是北周太師、燕國公于謹的曾孫，是關中的豪門大族。唐太宗李世民軍由山西入關時，他率先奉迎，因此受到重用，常隨從征伐，又任太宗的文學館學士。貞觀三年，遷中書侍郎。據說有一次太宗在内殿宴請大臣，没有見到于志寧，他很奇怪，旁人說皇上這次是召集三品以上官，于志寧非三品，所以不來。太宗就特令預宴，隨即加授散騎常侍、太子左庶子。《舊唐書》卷七十八本傳說他"雅愛賓客，接引忘倦，後進文筆之士，無不影附"。他是關右大族，經歷北周、北魏、隋，至唐初，朝代更換，而基業未改。他在高宗時曾說："臣居關右，代襲箕裘，周魏以來，基址不墜。"以他的官位和家產，又加以他也好文事，他的府第當然就成爲朝臣、文士宴集的場所。

　　現在保存在《全唐詩》的，于志寧本人有《冬日宴群公於宅各賦一字得杯》(卷三三),當時和作的有令狐德棻、封行高、杜正倫、岑文本、劉孝孫、許敬宗等。令狐德棻是唐初修前朝史書的重要史臣,劉孝孫就是唐人選唐詩第一部《續古今詩苑英華集》的作序者,其他也都是大臣中涉足於文場的佼佼者。他們的詩題是《冬日宴于庶子宅各賦一字》。令狐德棻詩中說:"高門聊命賞,群英於此遇。放曠山水情,留連文酒趣。"點明是受高門大族之賞賜來此作詩酒之遊的。封行高詩說:"雅引發清音,麗藻窮雕飾。"也說到音樂之清雅,與詩句之詞藻雕飾。

楊師道是隋宗室後裔,其兄楊恭仁隋末即有聲望,入唐歷任雍州、揚州、洛州牧,《舊唐書》卷六二《楊恭仁傳》說:"恭仁弟師道尚桂陽公主,從姪女爲巢刺王妃,弟子思訓尚安平公主,連姻帝室,益見崇重。"附傳記楊師道事謂:"師道退朝後必引當時英俊宴集園池,而文會之盛,當時莫比。"楊師道詩,本就有宮體詩的格調,如他的《初宵婚》:"洛城花燭動,戚里畫新蛾。隱扇羞應慣,含情愁已多。輕啼濕紅粉,微睇轉橫波。更笑巫山曲,空傳暮雨過。"(《全唐詩》卷三四)他的詩風既如此,則他宴請做詩的,也可想而知。楊師道封安德郡公。現保存於《全唐詩》的,有岑文本、劉洎、褚遂良、楊續、許敬宗等的《安德山池宴集》。這些詩都極力形容其園林之富麗,宴樂之豪華,如:"池疑夜壑徙,山似鬱洲移。雕楹綱蘿薜,激瀨合填篪"(岑文本);"亭中奏趙瑟,席上舞燕裾"(褚遂良);"臺榭疑巫峽,荷蕖似洛濱。風花縈少女,虹梁聚美人"(許敬宗)。這種綺麗的詩風,與他們的生活環境與生活情趣是相一致的。

到高宗後期及武則天執政時,這種以宮廷和王公大臣爲中心，聚集文士作詩宴樂的情況更有發展，即使是以提倡寄興、風骨著稱的陳子昂，也有這方面的作品留傳下來。如他的《麈尾賦序》："甲申歲，天子在洛陽，余始解褐，守麟臺正字。太子司直宗秦客置酒金谷亭，大集賓客，酒酣，共賦座上食物，命余爲《麈尾賦》焉。"（《陳子昂集》卷一）又《梁王池亭飲序》："弋陽公座辟青軒，飾開朱邸，金筵玉瑟，相邀北里之歡，明月琴樽，即對西園之賞。……王子愛才，文章見許，白日已馳，歡娛難恃。"（同上卷七）這個梁王，就是武周時顯赫一時的武三思。陳子昂又有《晦日宴高氏林亭》，序中稱"有渤海之宗英，是平陽之貴戚"，"冠纓濟濟，多延戚里之賓；鸞鳳鏘鏘，自有文雄之客"。詩中説："主第簪纓滿"（同上補遺），這些都點明高氏（正臣）也是當時尚主的駙馬（高正臣封衛尉卿）。參預這次宴集並作詩的有二十一人，由陳子昂爲作序文（參見《唐詩紀事》卷七）。陳子昂是倡議變格文體的人，但他還是免不了參預這些貴族府第的宴集，這就可見當時長安、洛陽一帶的文學活動是怎樣的情況了。

在這以後，更變本加厲。武則天游嵩山石淙，於是群臣有《奉和聖制夏日遊石淙山》詩（見於《全唐詩》者有姚崇、崔融、蘇味道、沈佺期，以及武三思、張易之、張昌宗等弄臣）。太平公主是武則天之女，安樂公主是中宗韋后之女，權勢煊盛，於是文士有《奉和初春幸太平公主南莊應制》《侍宴安樂公主山莊應制》等詩，撰者有宋之問、沈佺期、李嶠、李適、盧藏用、馬懷素、狄仁傑、薛稷、韋元旦、蘇頲、徐彥伯，幾乎東西兩京的有名文人無不列名其間。

史籍中記載武則天宮廷中文士賽詩的情況。《隋唐嘉話》卷下載："武后遊龍門，命群官賦詩，先成者賞錦袍。左史東方虬既拜賜,坐未安,宋之問詩復成,文理兼美,左右莫不稱善,乃就奪袍衣之。"至中宗時,風氣依舊。張説《上官昭容文集序》有論述這一時期宮廷詩風的,説:"自則天久視之後,中宗景龍之際,十數年間,六合清謐,内峻圖書之府,外闢修文之館,搜英獵俊,野無遺才。右職以精學爲先,大臣以無文爲耻,每豫遊宮觀,行幸河山,白雲起而帝歌,翠華飛而臣賦,雅頌之盛,與三代同風,豈惟聖后之好文,亦云奧主之協贊者也。"(《全唐文》卷二二五)又《唐詩紀事》卷三上官昭容條載:"中宗正月晦日幸昆明池賦詩,群臣應制百餘篇。帳殿前結綵樓,命昭容選一首爲新翻御制曲。從臣悉集其下,須臾紙落如飛,各認其名而懷之。既進,惟沈、宋二詩不下。又移時,一紙飛墜,競取而觀,乃沈詩也。及聞其評,曰:'二詩工力悉敵,沈詩落句云"微臣彫朽質,羞覩豫章才",蓋詞氣已竭,宋詩云"不愁明月盡,自有夜珠來",猶陟健舉。'沈乃服,不敢復争。"

聞一多在《四傑》一文中説:"正如宮體詩在盧、駱手裏是由宮廷走到市井,五律到王、楊的時代是從台閣移至江山與塞漠。"這種詩歌題材内容的變化,在當時只是極少數詩人的事,作爲風氣的代表的,則是上面介紹的情況。正因爲出於宮廷及王公大臣府第宴集的需要,詩當然需要有"綺句繪章,揣合低卬"。詩人在詩中不需要有個性,更不能有骨氣。《新唐書》卷二〇二《文藝傳》的《宋之問傳》評語謂:"及之問、沈佺期,又加靡麗,回忌聲病,約句準篇,如錦繡成文,學者宗之,號爲沈、宋。"《新唐書》作者是注意到這種風氣的,他看到這不是一、二個人的事,而是"學者宗之",這種"回忌聲病,約句準篇"及靡麗錦繡之作,是時代風氣及文人處境造成的。

開元、天寶時期，情況有很大的不同。首先是詩人的生活道路與創作環境變了。以《河岳英靈集》所選作家而論，除了李白在短時期内受到唐玄宗的召見，得在宫廷中供職以外，其他的這些盛唐代表詩人，在殷璠選詩之前，都是職位不高，或根本没有官職，而大多數則在外遊宦。李白在天寶初内廷中的生活，也並非得意，他終於離開，不像初唐一些文士那樣，與宫廷和王公大臣能魚水相處。這就是説，盛唐詩人們真正脱離了宫廷的依附，他們走的是一條依靠自己的才智以求進身，並以此建立功業、實現抱負的人生道路。

　　同時，開元時的政治環境也使文士們對這條人生道路的嚮望有一定的現實依據。“能使時平四十春，開元聖主得賢臣”（李涉《題温泉》，《全唐詩》卷四七七）。玄宗即位，任用了一批有所作爲的大臣，施行了以勵精圖治爲中心的一系列政策，結束了從高宗後期開始的幾乎長達半個世紀的統治集團内部的頻繁鬥爭，使開元之治有一個較爲安定的社會環境。開元之治的一個重點，是用人政策的變化，科舉取士增廣了一般中小地主階級知識分子的仕宦之路，打破了豪門大族的壟斷，强化了廣大知識分子入仕參政的願望。除了科舉外，還可因軍功入仕，取得升遷，這也使得相當一批文士帶着不懈的熱情走向邊塞，想以此建立功業，去實現自己的人生理想。一種建立不世偉業的榮譽感和獻身精神成爲時代的價值取向。正如王維詩中所説：“濟人然後拂衣去，肯作徒爾一男兒！”（《不遇詠》，《全唐詩》卷一二五）又如李頎在《緩歌行》中所説：“男兒立身須自强，十年閉户潁水陽。業就功成見明主，擊鐘鼎食坐華堂。”他們雖然没有官職和産業，但志氣不小，自視極高，所謂"五十無産業，心輕百萬資"（李頎《贈別高三十五》）。他們不以家貧爲累，認爲富貴榮華只是歷史上的過客："但聞行路吟新詩，不歎舉家無擔石。莫言貧賤長可欺，覆簣成山當有時。莫言富貴長可託，木槿朝看暮還落。"（李頎《別梁鍠》）雖然有時求仕不成，如李白所大聲呼喊的"大道如青天，我獨不得出"，但仍是表現一種積極向上的昂揚情緒。在經濟繁榮、國力強盛的社會環境中，唐人的心理狀態和價值觀念自然有很大變化，他們肯定人的主體精神，強調要有個性的獨立價值。正因爲與初唐詩人有不同的追求，他們的審美趣向就不局限於音節、詞藻、對仗的講究，這些偏重於技術的鍛煉已不能滿足這些詩人向社會、自然、人生的廣闊開拓和深刻思索了。正是這樣的時代風氣和文學背景，使這一時期的創作和理論都追求一種表現強力的"氣骨"和具有濃烈情感、豐滿形象的"興象"。殷璠的理論主張正好適應了這樣的時代要求。

三

殷璠在《叙》裏認爲，自蕭統《文選》以來的一些選集，有一個共同的缺點，即是他們沒有"審鑒諸體，委詳所來"，以致"銓簡不精，玉石相混"。要解決這個問題，纂集者必須知道"文有神來、氣來、情來，有雅體、野體、鄙體、俗體"（按《文鏡秘府論》南卷《定位》所引殷璠此《叙》無"野體"二字）。雅體等等意義和内容比較單純，指的主要是詩歌因語言使用的不同而産生的雅與俗的幾種文體區別（讀書人的語言——雅言，以及接近口語的語言等）。當然，"雅"與"俗"正如"文"與"質"，也可形成批評和選錄的標準，如《文選》專致於"沉思翰藻"，而《玉臺新詠》則爲"僻而不雅"（元兢《古今詩人秀句序》語）。這裏體的問題比較簡單，就不詳論。

殷璠提出"神來、氣來、情來"，是從作家的總體修養着眼的，神、氣、情都講的是作家的主體，這標明殷璠注意到盛唐詩人的獨特的個性，他們已不像前一時期的詩人那樣依附於上層而缺少自己的特點。殷璠正是在盛唐詩歌豐富多彩的巨大成就的基礎上，提出神、氣、情，注意從精神面貌來探討文學創作過程。這種思惟方法本身就是對初唐一些理論家們的超越。

從一個詩人的創作過程來說，"神""氣""情"（姑不論其各自的內涵爲何），可以說是"源"，是"因"，是篇章的所來。當然，讀者既不是作者，唯一可憑以揣摩體會的只是作品所能提供的內容和形式。這就是說，成功的篇章必能呈現神、氣或情。但它們又是什麼呢？"神"這個術語在《河岳英靈集》全書中，僅在《叙》裏出現過一次。它不像其他兩個術語多次被使用在品藻裏。在反覆的排比後，我們在常建的評語裏找出一些線索。殷璠認爲讀常建的詩會給人這麼一個感覺："建詩似初發通莊，却尋野徑，百里之外，方歸大道。"另外，又說劉眘虛"至如'松色空照水，經聲時有人'，又'滄溟千萬里，日夜一孤舟'……並方外之言也"。評綦毋潛"善寫方外之情"。所謂"方外"，本出《莊子·大宗師》："孔子曰：彼遊方之外者也。"即超然於世俗之外。綜觀殷璠對常建、劉眘虛、綦毋潛的評論，似乎他所講的"神"指的是一種脫俗的、超然的藝術境界。他評常建的幾句話，似乎把常建的創作過程歸納爲入世—出世—入世那樣的心路歷程。《河岳英靈集》中所選的常建《宿王昌齡隱處》，先寫隱居地之幽："清溪深不極，隱處唯孤雲。"頷聯進一步寫景之幽："松際露微月，清光猶爲君。"頸聯忽又推開去，寫花木之繁盛，清幽中一派生機："茆亭宿花影，藥院滋苔紋。"而結聯却又説自己也將去西山與鸞鶴爲群："予亦謝時去，西山鸞鶴群。"動静相配。殷璠大約認爲這是一種神興，而要做到這一點，就要與外物拉開一定的距離，即所謂初發通莊，却尋野徑，不爲世俗所累，方能如神遊太極，深究事物的内藴，對物理之變化有所啓悟。常建的《題破山寺禪院》也似有這種"神來"的意味，他寫了禪院的清幽之景後，結爲"萬籟此都寂，但餘鐘磬音"，這萬籟寂然中的鐘磬聲，更加深了人的清幽之感與出世之想。難怪深入禪機的宋人會激賞常建的這首詩。但殷璠的神來，却與宋人的以禪説詩無關。宋代嚴羽也講禪，他在《滄浪詩話》中説："詩之極致有一，曰入神，詩而入神，至矣盡矣，蔑以加矣。"嚴羽是以禪説詩的，他以"鏡花""水月"喻詩，偏於空靈，與殷璠所講的"神"相距甚遠。清初王士禎講神韻，同時代的翁方綱説王的神韻説也來自殷璠(見《石洲詩話》卷二)。王士禎在《蠶尾續話》卷一《畫溪西堂詩序》中也曾舉常建的"松際露微月，清光猶爲君"與劉眘虚的"時有落花至，遠隨流水香"，以爲"妙諦微言，與世尊拈花、迦葉微笑，等無差别"。王士禎與殷璠所舉的例句雖然相同，但各人的理解有異。殷璠認爲是"方外之言"、"警策"之語，王氏認爲是禪機。更有進者，王氏竟把所謂的禪機或三昧升格爲盛唐詩風的代表而名之曰神韻。這不但是偏頗而且幾乎完全曲解了盛唐詩歌的真正面貌。他没有或不屑注意殷璠所提"神"的實際内涵以及神和氣及情在盛唐詩歌體現中的整體性。

在中國古代，第一個把神的概念引入文學理論並加以合理解釋的，是南朝的劉勰。《文心雕龍》有《神思》篇。劉勰把神看成爲作家發揮主體的積極作用，在創作中產生奇妙的想像力。他說："古人云：形在江海之上，心存魏闕之下。神思之謂也。文之思也，其神遠矣！故寂然凝慮，思接千載，悄焉動容，視通萬里。"這是説想像力的極度發揮，可以突破時間和空間的限制。又説："夫神思方運，萬塗競萌，規矩虛位，刻鏤無形，登山則情滿於山，觀海則意溢於海。"當想像力激發時，作家所描寫的大自然的一切會洋溢着一種强烈而豐沛的感情。關於創作中的想像力，陸機《文賦》也作過形象描述，但没有如劉勰説得全面而且清晰。

但劉勰是把神與思聯繫起來講的，他並没有把神作爲一個單獨的文學批評的概念提出來。後來蕭子顯的《南齊書·文學傳論》所謂"屬文之道，事出神思"，還是這個意思。但到唐朝，在一些詩人當中，却漸漸單獨提出"神"來，與"思"分開，作爲評判作品高下的一個標準。如果王勃在《懷仙》詩的自序中説"神與道超，跡爲形滯"（《全唐詩》卷五五）還偏重於神作爲精神概念的話，那末張説《五君詠》中贊李嶠的詩，説"李公實神敏，才華乃天授"（《張説之文集》卷一〇），神已作爲對李嶠才華的極度稱譽了。李白也用過這個字，説："掃素寫道經，筆精妙入神。"（《王右軍》，《全唐詩》卷一八一）這是講書法的。盛唐時期用得最多的是杜甫，他曾説：

鄧公馬癖人共知，初得花驄大宛種。凤昔傳聞思一見，

牽來左右神皆竦。(《驄馬行》)

對此融心神,知君重毫素。(《奉先劉少府新畫山水障歌》)

讀書破萬卷,下筆如有神。(《奉贈韋左丞丈二十二韻》)

陸機二十作文賦,汝更小年能綴文。總角草書又神速,世上兒子徒紛紛。(《醉歌行》)

豈知異物同精氣,雖未成龍亦有神。(《沙苑行》)

文章有神交有道,端復得之名譽早。(《蘇端薛復筵簡薛華醉歌》)

天下幾人畫古松,畢宏已老韋偃少。絕筆長風起纖末,滿堂動色嗟神妙。(《戲爲雙松圖歌》)

將軍畫善蓋有神。(《丹青引贈曹將軍霸》)

揮翰綺繡揚,篇什若有神。(《八哀詩·汝南王璡》)

乃知蓋代手,才力老益神。(《寄薛三郎中》)

靜者心多妙,先生藝絕倫。草書何太苦,詩興不無神。(《寄張十二山人彪三十韻》)

以上十一個例子中,只有前兩個例子,神是作精神、神情講,其他都是一種極度贊美之詞。可以注意的是,杜甫已經用神來譬喻書法、繪畫、文章、詩歌,似乎當時存在的文學藝術品種,它們之中思想、藝術的最高造詣,都可用"神"這一字加以概括。

但殷璠對"神"這一術語的運用,如上面所分析的,却與杜甫他們不同。殷璠顯然把神在創作過程中的作用看得很重要,比起他所談的氣、情等概念來,這在盛唐時似更爲新鮮。可惜他自己沒有作更多的闡發,因此這個概念的内涵還未能有充分的展示。

目前,學界討論這個問題的似也不多,這裏僅根據我們的理解,作若干探索,以期引起大家的注意,希望通過討論使我們對這個概念能有進一步的瞭解。

四

在殷璠那裏,氣有不同的含義。《集論》中説:"昔伶倫造律,蓋爲文章之本也。是以氣因律而生,節假律而明,才得律而清。"這裏的氣是指音律屬性。盛唐時人也有類似的用法,如李華《雜詩》六首之一:"黄鐘叩元音,律吕更循環。邪氣悖正聲,鄭衛生其間。典樂忽涓微,波浪與天渾。……"(《全唐詩》卷一五三)但在《河岳英靈集》的大部分場合裏,氣是作爲文學理論的範疇來用,是指內容而言的。

就內容而言,"氣"字作爲一個術語見於評語裏的有:"兩賢氣同體別"(評王昌齡語,兩賢指王與儲光羲),"氣雖不高,調頗淩俗"(評祖詠語)。在對王昌齡的一段文字相當長的評語裏,有下面這些話耐人尋味:"元嘉以還,四百年內,曹、劉、陸、謝,風骨頓盡。頃有太原王昌齡、魯國儲光羲,頗從厥遊。且兩賢氣同體別,而王稍聲峻。"這裏"氣"既與"風骨"並提,則意義當可相通。"曹、劉、陸、謝"指的當然是曹植、劉楨、陸機、謝靈運。曹、劉是建安文學的代表人物,以"風骨"著稱。"風骨"當然是指的建安詩歌中一種特有風格。讀建安詩每給人一種"力"的感覺,這"力"的表現主要通過詩人的憂國傷民、慷慨任氣的情緒和江山城郭人事的結合而淋漓盡致地表現出來。《河岳英靈集》又以"建安風骨"來名這種有内容、有感情,有非常抱負,有時代性,而且感染性很强的詩歌傳統。因之,"氣骨"可通"風骨","風骨"又可通"氣"。

此外,書中講到氣骨或風骨的,有:

《叙》:開元十五年後,聲律、風骨始備矣。

《集論》:言氣骨則建安爲儔,論宫商則太康不逮。

評劉眘虚:頃東南高唱者數人,然聲律宛態,無出其右,唯氣骨不逮諸公。

評高適:然適詩多胸臆語,兼有氣骨,故朝野通賞其文。

評薛據:據爲人骨鯁有氣魄,其文亦爾。

評陶翰:既多興象,復備風骨。

評崔顥:晚節忽變常體,風骨凛然。

不難看出,這樣反復提到,可見氣骨或風骨是殷璠評詩的一個十分重要的標準。

風骨一詞,劉勰已經提出,《文心雕龍》專門有《風骨》篇。陳子昂在著名的《與東方左史虬修竹篇序》中提出的"骨氣端翔",骨氣與氣骨,從字面上看,應當説是相同的。那末殷璠與盛唐人賦予風骨(氣骨)以什麽新的内容呢?

《文心雕龍·風骨》篇中説:"故練於骨者,析辭必精;深於風者,述情必顯。"近代學者黄侃據此即作出"風即文意,骨即文辭"的解釋(《文心雕龍札記》),爲學術界不少人所遵循。我們認爲,劉勰的時代可能對風骨有作區别開來的解釋,但在盛唐時,人們已把風骨或氣骨作爲表達一個整體的概念來運用,已經没有文意和文辭這兩個意念合成的涵義。那末,風骨或氣骨作爲文學理論的一個完整的概念,作爲美學思想的一個獨立的範疇,它的本質是什麼呢？我們以爲,如上面談到建安風骨時所説的,是一種力量之美。

無論從“風骨”作爲一個詞語來説,或者風與骨作爲個體分别來説,都使人感到一種力。在美學上,美的表現是多種多樣的。有各種美,但在藝術史上,只有表現力量的美却最能體現人類的生命力,也最能體現社會發展的本質。這種美往往與剛健、豪爽、倔强、樂觀相聯繫。而在中國古代,風骨就是體現了這種力量之美,作品有風骨或氣骨,就是説它有着强烈的、不同於世俗的精神力量,以及在藝術上有一種幾乎不可抗拒的感發或激發力量,這種感發或激發力量,李白曾用“猛氣英風”(《行行且遊獵篇》)作過形象的比喻。

與建安不同的,盛唐人所要求的風骨,不是一般意義上的力,而是一種表現民族自信心和創造性的精神力量,是一種衝破傳統、要求創新的激情,這是盛唐的時代精神,是那一時代國方恢張的表現。盛唐時,書法中最能表達時代精神的是草書,草書的飛動,就是借字體的飛躍騰挪,表現突破形體限制的力的擴展,給人一種健美的感覺。李白《草書歌行》(《全唐詩》卷一六七)中寫當代的草書大家張旭:“吾師醉後倚繩床,須臾掃盡數千張。飄風驟雨驚颯颯,落花飛雪何茫茫。起來向壁不停手,一行數字大如斗。怳怳如聞神鬼驚,時時只見龍蛇走。左盤右蹙如驚電,狀同楚漢相攻戰。”李白的詩句充分表現了草書内在的不可遏制的力之美,而詩的本身也體現了風骨之美。令人深思的是,正是草書的理論把力的概念與骨相聯繫。顏真卿《張長史十二意筆法記》(《全唐文》卷三三七),記他從張旭問草書筆法,二人一問一答,有十二條,其中説:"(張旭問)力謂骨體,子知之乎?(顏)曰:豈不謂趯筆則點畫皆有筋骨,字體自然雄媚之謂乎?"兩位書法大家對草書力與骨爲一體的理解完全一致。這對於我們理解詩歌中的風骨含義,應該説是一個重要的啓發。

當時的書法家論到這一點的,還有好幾位,如與殷璠同鄉,殷璠曾選其詩入《丹陽集》的蔡希寂,其弟蔡希綜有一篇《法書論》(《全唐文》卷三六五),就説"每字皆須骨氣雄强,爽爽然有飛動之態"。徐浩《書法論》(《全唐文》卷四四〇)談到書法要"骨勁而氣猛",都是把氣、骨與力量相提並論,這就無怪杜甫説"苦縣光和尚骨立,書貴瘦硬方通神"(《李潮八分小篆歌》)了。

從社會審美趣尚來説,藝術的各種樣式是相通的。草書是如此,盛唐時代的舞蹈也是如此。開元時公孫大娘舞劍器渾脱,"爛如羿射九日落,矯如群帝驂龍翔,來如雷霆收震怒,罷如江海凝清光"(杜甫《觀公孫大娘弟子舞劍器行》),就是力的表現。而根據杜甫這首詩的小序,恰恰是張旭觀看了公孫大娘的這種表現"瀏灕頓挫"的舞姿,使得他的草書有了長進:"往者吳人張旭,善草書帖,數常於鄴縣見公孫大娘舞西河劍器,自此草書長進,豪蕩感激"(《全唐詩》卷二二二)。這就是説,盛唐時代的藝術樣式,滲透盛唐的時代精神的,無不有一種力。即使是不動的建築物,也表現出一種凝聚着的力,李華《含元殿賦》寫唐代含元殿的規模壯麗,其中説:"聳大廈之奇傑,勢將頓而復飛。"(《全唐文》卷三一四）這就是凝重的、蕭穆的力所表現出的飛動之勢，是特有的一種建築美。

氣本來是中國古代哲學上一個常用的概念，意爲宇宙萬物之本的元氣，但它也往往用作人的主觀力量，如孟子所説的“吾善養吾浩然之氣”。這裏的浩然之氣就是一種崇高的人格力量的基本元素。殷璠與盛唐時人也是從人的精神力量來理解和運用氣的，並把它與傳統的“風骨”、“氣骨”聯繫起來。要求詩歌有一種前所未有的骨力或風力。如殷璠評王昌齡詩，認爲王詩真正能繼承建安風骨，他列舉了好幾首王昌齡的詩句，最後總括一句：“斯並驚耳駭目。”這就是他給風骨的一個形象描繪。顯然，要能驚耳駭目，就非要有一種强力不可，詩具有這種强力，就能超越前人，所以岑參説：“憶昨癸未歲，吾兄自江東，得君江湖詩，骨氣凌謝公。”（《敬酬杜華淇上見贈兼呈熊曜》，《全唐詩》卷一九八）據岑參看來，詩篇有氣骨，就能超越前朝，這種氣骨，正是南朝許多詩人所缺乏的力。也正是出於這種理解，殷璠很好地把握了岑參詩的基本風格。氣骨因爲表現力，所以往往可與奇、峻相連。峻是形容山高，是一種山勢，這種山勢本身就蘊含着大自然的創造力，給人一種挺拔峭麗的美感。殷璠評岑參詩，説“參詩語奇體峻，意亦造奇”。應該説，岑參奇峻的風格在後期邊塞詩中表現得更充分，殷璠編選《河岳英靈集》時當然不及見到，但正因爲這種氣骨表現的是人的一種精神力量，是人和詩内在的統一整體，因此即使没有看到他後期的詩，殷璠還是可以從岑參前期的作品中把握岑詩的風格特徵——這就表現了氣骨或風骨作爲具有一定科學因素的概念所具有的理論力量，它既然從具體中抽象出來，就有一種概括性,一種預見性。

　　氣骨或風骨作爲一種表現力量之美,它不是脫離社會或人的思想而孤立存在的,它往往與作家的抱負相聯繫。在《河岳英靈集》中,凡殷璠認爲有風骨的詩人,像高適、薛據、王昌齡、岑參等人,都有一種强烈的建功立業的思想。頗有意思的是,所有入選的二十四個詩人,在此之前,沒有一個是名位顯赫的,使他們徒有其才而無所作爲。"常建淪於一尉",王季友"白首短褐",李頎"只到黃綬",孟浩然"淪落明代,終於布衣"。綜觀這些詩人的遭遇出處,殷璠不禁發出"高才無貴仕,誠哉是言"的感歎。他一邊責備當事者的無識,"禰衡不遇,趙壹無禄,其過在人",一邊激賞詩人們屢遭挫折而不氣餒的昂揚情緒。當詩人們的這種抱負不得展現,就發而爲抑鬱不平,産生一種怨憤。關於這一點,王昌齡有一段話説得很好,他説:"是故詩者,書身心之行李,序當時之憤氣。氣來不適,心事不達,或以刺上,或以化下,或以申心,或以序事,皆爲中心不快,衆不我知。由是言之,方識古人之體也。"(《文鏡秘府論》南卷《論文意》引)這段話的重點是説詩乃抒發憤氣之作。由於"中心不快,衆不我知",更需要詩歌用强烈的藝術力量表現之。殷璠對於薛據的評論與王昌齡的這段話是相通的,他説:"據爲人骨鯁,有氣魄,其文亦爾。自傷不早達,因著《古興》詩云:'投珠恐見疑,抱玉但垂泣,道在君不舉,功成歎何及。'怨憤頗深。"薛據的氣骨從何而來? 是因爲有抱負而不得實現,出於一種頗深的怨憤,這也就是王昌齡所説的"中心不快,衆不我知"。

　　高適也是那樣,他一再講到建安,説"故交負靈奇,逸氣抱謇諤,隱軫經濟具,縱橫建安作"(《淇上酬薛三據兼寄郭少府微》),

《全唐詩》卷二一一）；"曾是不得意，適來兼別離。如何一尊酒，翻作滿堂悲。周子負高價，梁生多逸詞。周旋梁宋間，感激建安時"（《宋中別周梁李三子》，同上）。他這裏所說的建安，與王維的"盛得江左風，彌工建安體"（《別綦毋潛》）有所不同，王維是純粹就詩風說，而高適則擴而大之，就建安時代建功立業、慷慨任氣而言，因此他把"建安作"與"經濟具"相提並論，而在漫遊宋中時，有感於周、梁、李等都是有志而不稱意之輩，於是想起建安而心情激感（按高適詩中多次用"感激"一詞，如"四十能學劍，時人無此心，如何耿夫子，感激投知音"，"平生重離別，感激對孤琴"，"伊余寡棲託，感激多慍見"，"我行倦風湍，輟棹將問津，空傳歌瓠子，感激獨愁人"，這些與杜甫在《八哀詩·李公邕》中的"感激懷未濟"，都有一種有志未伸而有所激發之意）。高適的事功之心是很切的，他說"萬里不惜死，一朝得成功。……大笑向文士，一經何足窮"（《塞下曲》），"一朝事將軍，出入有聲名"（《薊門行》），"君負縱橫才，如何尚顛頜。……窮達自有時，夫子莫下淚"（《效古贈崔二》），這都是殷璠所稱道的"多胸臆語，兼有氣骨"。殷璠還強調地說："且余所愛者，'未知肝膽向誰是，令人卻憶平原君'，吟諷不厭矣。"爲什麼呢？因爲這兩句詩表現了要求人們理解的強烈的願望，又因爲當世無人，只好將這顆心寄託千百年前的歷史人物，就更使詩句頓挫有力。

　　在一個很長時期内，儲光羲是被評爲田園派詩人的，但作爲同時代的評論家，殷璠卻把他與王昌齡並提，推許爲繼承建安風骨的盛唐代表詩人。爲什麼呢？就因爲儲光羲"挾風雅之道，得浩然之氣"。殷璠選了儲光羲的《雜詩》，這首詩借用遊仙詩的表現方式,抒發志趣的高潔:"達士志寥廓,所在能忘機。"而《效古二章》,則筆觸伸向當時的社會。第一首寫開邊戰爭造成人民生離死別:"婦人役州縣,丁男事征討。老幼相別離,泣哭無昏早。"又使農村經濟破敗:"稼穡既珍絶,川澤復枯槁。"第二首一開始就筆力非常:"東風吹大河,河水如倒流。"接着寫旱災,人們無地可以避害。面對這些天災人禍,朝廷中有任職翰林者,"獨負蒼生憂",中夜不能寐,抱着匡時濟世的滿腔熱情向皇帝獻策,而結果却是"君門峻且深,跬足空夷猶"。顯然,殷璠没有把"氣"這個概念局限在個人的得失上,他選儲光羲的這些詩,並且許之以"得浩然之氣",説明他所理解和運用的"氣",是有一定社會内容的。正如李白所説:"苟無濟代(世)心,獨善亦何益。"都表現了盛唐時代相當一部分知識分子的思想面貌。

風骨作爲表現力量之美,特別在盛唐邊塞詩中得到充分的體現。詩人們生活的時代正是邊事頻仍的開元盛世,雖然開元後期的戰爭有的是唐朝統治者喜於用兵所致,而前期則大多是衛邊的、正義的。對詩人們來説,投筆從戎是出身途徑之一,而邊塞風光,沙場生活,刀光劍影,也是很好的題材。理想、馳望、生活相結合,其結果就是盛唐獨樹一幟的邊塞詩。在《河岳英靈集》裏,邊塞詩是"力"的最好表現之一。殷璠説崔顥"少年爲詩,屬意浮艷,多陷輕薄",指的可能是因爲崔顥善於或多寫如《王家少婦》"十五嫁王昌,盈盈入畫堂"那樣一類的詩。但他後期的詩"忽變常體,風骨凛然"。從殷璠的評語和所選的詩來看,改變的主要原因是崔顥的"一窺塞垣",而改變的主要表現是那些"説盡戎旅"的邊塞詩。這些邊塞詩篇正是從"屬意浮艷"變成"風骨凛然"的關鍵。有生命有内容的邊塞詩在殷璠來説是"力"的表現,是風骨的一種依歸。細考集中陶翰的詩篇,"風骨"和邊塞詩的關係也可獲進一步的印證。陶翰的《出蕭關懷古》是十足的"既多興象,復備風骨"的代表作。同樣,在殷璠眼中,高適的《哭單父梁九少府》、《宋中遇陳兼》、《送韋參軍》、《封丘作》等,感情充沛,脱口而出,"多胸臆語",而其《邯鄲少年行》、《燕歌行》則"兼有氣骨"。

正因爲重視氣、風骨,與之相應的,殷璠比較强調直語、直置。殷璠在他另一部詩選《丹陽集》中也選了儲光羲的詩,其評語有"光羲詩,宏贍縱逸,務在直置"的話(《吟窗雜録》卷二十五《歷代吟譜》引)。推許儲詩"直置",是與殷璠在《叙》中所説"曹、劉詩多直語,少切對"一致的。他又講到開元時"惡華好朴,去僞從真"的風氣。這都與"氣"、"氣骨"、"風骨"等概念相聯繫。要有氣,要有力量,首先就要求真,缺乏真實,就不可能有力,而風骨、氣骨所要求的,又是朴質,反對多餘的、人爲的裝飾。李白《古風》第一首説:"自從建安來,綺麗不足珍。聖代復元古,垂衣貴清真。"他在另一首《古風》中又以邯鄲學步的古代寓言作比喻,指出"雕蟲喪天真"。孟浩然在一首詩中也提到"清真"("朝來問疑義,夕話得清真"——《還山貽湛法師》)。這大約是開元時的一種時代風尚。張九齡《集賢殿書院奉敕送學士張説上賜燕序》(《全唐文》卷二九○),提到開元中期朝廷改集仙殿爲集賢殿,是"去華務實"。同時期的孫逖在《宰相及百官定昆明池句宴序》(《全唐文》卷三一二)又記:"我上相裴公、中書令蕭公,保乂皇極,緝熙文教,以爲正國風、美王化者,莫近於詩,微言浸遠,大義將缺,乃命革剗浮靡,導揚雅頌,斲雕爲朴,取實棄華,親題首章,以倡在位。"斲雕爲朴、取實棄華在當時的實際意義,就是要求有真實而有力的文學作品。殷璠是體現了這個時代要求的。

與此有聯繫的,還可以談一下《河岳英靈集》所選以五言古詩爲主的問題。

語言的運用也是《河岳英靈集》文學批評和欣賞的一個重要標準。内容(《叙》所説的"詳所來"的"所來")和形式(《叙》所説的"審鑒諸體"的"體")是相互表裏的。此外當然還有聲律,但書中是把它另外討論的。形式的構成原件是語言(這裏指的是書面語言,尤其是讀書人的語言,而不兼指説話的語言即口語)。語言又因辭藻的不同而分"雅、俗、鄙"(英文叫 diction)。辭藻的組合成句又因不同的組合方法而有"直語"(接近口語的語法)和雕飾句(最淺顯的例子是倒裝句的大量出現在詩中)。中國古典詩歌一般是兩句一聯(或一"管")。以五言詩爲例,古體詩,一般來説,其詩意需靠全聯的十字來表達(如"行行重行行,與君生別離"),而新體詩則往往同一聯中的單句可以獨立(英文叫這樣的句子 end-stopped)。一般説來,貫通十字的古體詩的聯語意偏於動態的流貫,而五字一頓的新體詩的聯語偏於静態的細味。故五言古體詩比較適合於叙事和表達充沛、激昂的感情,而五言新體詩則長於抒情和表達宛轉纏綿的感情。成功的五言古詩給人的具體印象是親切自然,而成功的五言新體詩給人的是典重嚴肅。《河岳英靈集》出於它本身的藝術和批評要求,着重於動態的表現,所以《叙》中肯定曹(植)、劉(楨)的"直語"而不取"切對"。這也正好部分地説明了爲什麼《河岳英靈集》入選的詩五言古體多而近體極少的緣故。

五

在《河岳英靈集》的詩人評論中，"情"字數見如下："情幽興遠"（劉眘虛評語），"在物情之外"（張謂評語），"愛奇務險，遠出常情之外"（王季友評語），"善寫方外之情"（綦毋潛評語），"儲公詩格高調逸，趣遠情深"（儲光羲評語）。其中作複句的構成部分者有"物情"、"常情"，及"方外之情"。"常情"和"方外之情"意義顯明，至於所謂"物情"，從整個評語及所舉張謂的兩首詩（《代北州老翁答》、《湖中對酒行》），指的應是因景物感染而生的個人感情。詩人每每尋找一種特別幽境（所以"歷遐遠"）或歷史名勝（所以"探古迹"）以求詩興及感情的激發。張謂兩首詩的所以不同於一般"物情"，主要原因是它們能從一個非常平凡的農夫身上或一般的境致裏取得詩意和美感。"情"字的單用有"情幽"、"情深"兩項，它們的意義大概相同，説的都是一種情致。這情致在劉眘虛和儲光羲某些詩裏所呈現的屬性是"幽"是"深"。而賴以產生這種"幽""深"屬性的媒介是景是物。這樣説，"情"與"物情"相通，它們共有的屬性是情致，它們共有的媒介是景物。有情致的詩篇可通過景物的描寫而耐人尋味，使人流連不舍。

在殷璠那裏，神、氣、情是統一的，似乎構成一個相當有啓發性的詩論體系。神看來好像是一種超然物外的境界，是詩人對宇宙之理有所把握、有所感悟之後，再來觀照人世社會，產生一種不爲世俗所累而又能更洞徹世俗之情的一種神理。有了這種神，詩似乎更有深度,更有理致,具有一種較高的,或者説可達到物我兩忘的境界。氣則是偏重於因現實社會之激發而産生的抑鬱不平,這就使作品有一種氣勢,一種剛健的力量。情似乎較着重於作家個人對自然、對自我的一種富於情趣的感受,它有時比較細膩,但却是深邃地對一種情懷的傾訴。殷璠把這三者結合起來,成爲一個整體,就是説,盛唐詩歌所能表現的内容,無比闊大,可以是宇宙萬物之理,經國濟世之業,一己深幽之情,它們既有神理,又有力量,復有情致。這樣,前人所未曾提出而爲殷璠所獨創的興象説就自然而然地形成了。

興差不多是中國文學理論最古老的詞語之一。它似乎是隨着《詩經》的研究開始就被人運用,這就是《詩》的六義之一。唐朝的孔穎達引東漢的鄭玄(所謂鄭箋)謂:"興者,托事於物,則興者,起也,取譬引類,起發己心。"這算是經典式的説明。但興的含義,又因人而有變化。盛唐詩人中談到興的,孟浩然比較多。除了他的名句"愁因薄暮起,興是清秋發"(《秋登蘭山寄張五》)之外,詩中談到興的還有:

> 清曉因興來,乘流越江峴。(《登鹿門山》)
> 晨興自多懷,畫坐常寡語。(《田園作》)
> 百里行春返,清流逸興多。(《陪盧明府泛舟回作》)
> 風俗因時見,湖山發興多。(《九日龍沙作寄劉眘虛》)
> 款言忘景夕,清興屬涼初。(《西山尋辛諤》)

以上五例,前三項的"興"還可作情緒、感興講,後兩項則已與創作衝動有關了。就是説,在那時,人們已把興作爲外界與主體相契合而産生的一種創作萌動,一種積極的藝術思維的閃光。正因如此,杜甫就索性把詩和興連起來用,説:"東閣官梅動詩興"(《和裴迪登蜀州東亭送客逢早梅相憶見寄》),"稼穡分詩興"(《偶題》)。

賈至曾説:"詩人之興,常在四時,四時之興,秋興最高。"(《沔州秋興亭記》,《全唐文》卷三六八)。這是説,秋天最能引起詩興。盛唐人詩中談及的還有:

> 老去才難盡,秋來興甚長。(杜甫《寄彭州高三十五使君適虢州岑二十七長史參三十韻》)
> 試發清秋興,因爲吳會吟。(李白《送麴十少府》)
> 晚晴催翰墨,秋興引風騷。(高適《同崔員外綦毋拾遺九日宴京兆府李士曹》)

以上三處,講到秋興時都與作詩聯繫在一起。我們可以説,在盛唐人的觀念裏,興這一詞已突破《詩經》六義之一的界説範圍,已經不是因事起興的那種静態,而是詩人的一種創作躍動,既是外界的反映,又是對外界的把握,創作主體處在一種亢奮狀態,似乎有一種籠萬物爲己有的情狀。

象也是中國古老的哲學上的概念,一般指事物的各種外觀,各種表現形式。盛唐時則常常把它與"物"連用,稱"物象",如:

> 高談懸物象,逸韻投翰墨。(高適《酬龐十兵曹》)

城池滿窗下,物象歸掌内。(高適《登廣陵棲靈寺塔》)

屈平、宋玉,其文宏而靡,則知楚都物象有以佐之。(李華《登頭陀寺東樓詩序》,《全唐文》卷三一五)

有時也稱"萬象",如高適《答侯少府》:"性靈出萬象,風骨超常倫。"意義也相近。總之,象這一概念比較確定,指的是外界事物的各種表象。

殷璠也單獨使用過"興",如他說常建詩"其旨遠,其興僻",說劉眘虛詩"情幽興遠",與盛唐時其他的人用義相近。但是,他把興與象連起來,作爲一個詞語,一個概念,却產生了意念的飛躍。

對殷璠來説,神、氣、情構成思維的内容,但表達思維的"形象"又是什麽呢? 在《河岳英靈集》裏,"形象"與"思維"不是分開來講的,而是統一的,整體的,這就是所謂"興象"。興象不同於比興,也不是寄興,它指的是形象與思維的結合方式,説得窄一點,是情與景的相鎔。書中除在《叙》中用到"興象"一詞外,其他還有兩處,一是評論陶翰,一是評論孟浩然。細察陶翰入選的諸作,情景的鎔合如《乘潮至漁浦作》、《宿天竺寺》、《出蕭關懷古》、《經殺子谷》等,實"多興象"。別的不説,單是《出蕭關懷古》中的"孤城當瀚海,落日照祁連"兩句,有近有遠,有上有下,有氣氛,有實物,有陪襯,有對比,寫盡塞景邊情。再看殷璠對孟浩然的評論:

浩然詩文彩芊茸,經緯綿密,半遵雅調,全削凡體。至如"衆山遥對酒,孤嶼共題詩",無論興象,兼復故實。又"氣蒸雲夢澤,波動岳陽城",亦爲高唱。

丰茸是草樹茂密的樣子,出於司馬相如《長門賦》:"羅丰茸之游樹兮,離樓梧而相撐。"孟浩然也用過"丰茸"一詞,他的《襄陽公宅宴》說:"窈窕夕陽佳,丰茸春色好。"以窈窕比喻夕陽,以丰茸形容春色,大自然的生機給人帶來喜悦。殷璠用"文彩丰茸",就是孟詩具有興象的具體說明。至於評中所舉"衆山遥對酒,孤嶼共題詩"兩句,則寫的是永嘉江邊客舍的情景:衆山遥對寫空,孤嶼相峙寫獨,寫盡"鄉園萬餘里,失路一相悲"的心情。同時永嘉孤嶼暗指謝靈運的《登江中孤嶼》,因此評語説"無論興象,兼復故實"。

這就是殷璠所説的"興象"。從興象所藴含的内涵來説,是神、氣、情。在盛唐時代,特别是氣與情,對於創造具有興象那樣的詩境起了很大的作用,正由於有那樣一種表現力量之美的氣骨和體現豐富内心世界的情致,纔促使詩人萌動着的創作欲與物象相結合,造成了一種明朗透徹、豐滿闊大、能以深切的或强烈的情緒激發讀者的藝術形象。謝靈運的山水詩,精雕細刻,類似於金碧山水,但缺乏感人的力量,陳子昂的寄興,理則有餘,文或不足。盛唐是一個開闊的、向上的時代,杜甫《秋興八首》中説"彩筆昔曾干氣象",是要用彩筆描繪這五光十色的氣象,不是一般的小巧景致,而這就需要作家有飽滿的詩情,使形象帶有一層詩的理想的光輝。這就是殷璠對盛唐詩論的貢獻。

殷璠在《叙》中曾批南朝那種"理則不足,言常有餘,都無興象,但貴輕艷"的詩風,於是提倡興象。但興象是他對一代詩風的總的要求,而對每一個具體詩人來説,作品中所體現的興象、神、氣、情三者可各有側重。看來他似乎認爲王昌齡最能全面地體現興象的三要素，因此標舉爲"中興高作"。無論選詩之多（十五首），所舉例句之衆（四十二句），或評語之長，都冠於全集其他廿三個詩人之上。再細察王氏入選的詩，合乎"神"的要求似乎有《綏氏尉沈興宗置酒南溪留贈》及《齋心》，合乎"情"的則有《江上聞笛》和《聽人流水調子》等，而合乎"氣"的似乎最佔篇幅而且比較全面：《詠史》、《少年行》、《城傍曲》、《塞下曲》、《從軍行》、《鄭縣陶大公館中贈馮六元二》等。其餘的詩都或多或少在各種程度上表現出"神"、"氣"或"情"。力或風骨在例句裏表現得尤其顯明，可以說是無一句不氣勢雄厚，懷撫古今，力蓋天地，心兼人寰，宜乎殷璠視之爲"驚耳駭目"而比擬王氏之"風骨"於曹、劉、陸、謝。

對於被稱爲"爲人骨鯁，有氣魄"的薛據，殷璠則盛贊其"寒風吹長林，白日原上没"，説是"曠代之佳句"。這是因爲這兩句確實表現了一種氣勢，描畫了北方黄土高原的寥闊荒涼，寄寓詩人有志不得申的慷慨之情。而對於王維，則有所不同。王維有形象闊大的邊塞詩，如"大漠孤烟直，長河落日圓"，寫出塞漠的開曠和奇麗，但王維詩的基調還是在秀麗的山水烟嵐中抒發的一片空靈之感。王維詩如《入山寄城中故人》簡直就像是"道"的升華，讀他的詩就如"入道"（如"行到水窮處，坐看雲起時"），感受到一種無牽無掛無礙的超然境界（如"偶然值鄰叟，談笑無還期"）。正因爲它們異常的空靈静寂，且詩句清徹如鏡，所以王維詩被殷璠評爲"詞秀調雅，意新理愜，在泉爲珠，著壁成繪。一句一字，皆出常境"。薛據與王維的風格各異，一個主氣，一個主情，但都是具有興象的。

　這裏我們可以看到，殷璠在提倡興象的總的原則下，注意到審美趣尚的多樣性，把握不同的層次。如對李白、岑參、高適的詩風，都用了“奇”字：説高適“甚有奇句”，稱岑參“語奇體峻，意亦造奇”，評李白“《蜀道難》等篇可謂奇之又奇，然自騷人以還鮮有此體調也”。這三人同是奇，對高適則又與“氣骨”相連，突出其壯懷激烈，對李白、岑參又與“逸”並提，稱岑爲“逸才”，李爲“縱逸”，即突出他們不受世俗的拘牽。而這所謂奇，則又似乎開天寶之後至韓愈尚“奇”的新詩風。

　另外，殷璠在品藻李頎、綦毋潛時都提到“秀”，而對劉眘虛雖説他“氣骨不逮諸公”，但仍欣賞其“情幽興遠，思苦語奇”，“聲律宛態”。這些都可看出，在盛唐這一充分發展的詩歌黃金時代，各種風格競放異彩，殷璠也在理論觀念上反映了這種多樣性，而不強求一律。同時也可看出，他是力求用不同的詞彙來表現文學批評的不同範疇的，這應當説是中國古代文學理論在思維模式上的一個不小進展。

　當然，也應該看到，殷璠在很大程度上還停留在直觀式的批評上，他的有些概念（如神），還不是太清晰的。而我們目前古代文論的研究和古漢語的研究，也還未能很好地對殷璠提出來的這些術語或概念作出精確的闡釋。我們在這裏雖然也作了一些分析，提供了若干我們認爲值得參考的材料，但本文所做的也還只是一種描述。我們希望，通過有關學科的共同努力，對於中國古代文學理論中的專門術語會有科學的界定，那時就可以進一步做出理論上的綜合探索。

《河岳英靈集》音律説探索

　　《河岳英靈集》的音律説主要集中在《叙》和《集論》裏。《叙》裏有關音律方面的觀點是批評從沈約以後某些詩評家過分重視四聲八病，而忽略了前代如曹植、劉楨他們在創作實際中表現出來的音律方面的成就。這些詩評家站在平仄律的立場上，認爲古人詩裏"或五字並側，或十字俱平"，從而譏責曹植等"不辨宫商徵羽"。在這一點上，《河岳英靈集》持不同意見。它主要的看法是：音律是詩人應該具有的基本常識，議論家們不應該認爲古人没有具備這方面的常識。正如《集論》的開頭幾句所説："昔伶倫造律，蓋爲文章之本也。是以氣因律而生，節假律而明，才得律而清，焉寧預於詞場，不可不知音律焉。"《集論》中還進一步舉例來説明，即曹植《美女篇》詩的兩句："羅衣何飄飄（一作飆），長裾隨風還。"這十個字都是平聲，按平仄律來説是完全不合音律的，而《集論》的作者却着重地指出它們"雅調仍在"。這又是什麽意思呢？它又有什麽理論依據呢？

　　爲所謂"雅調"作理論依據的，可能就是《集論》中這樣的一段話："詞有剛柔，調有高下。但令詞與調合，首末相稱，中間不敗,便是知音。"現在的問題是這些話的實際内涵是什麽。隨便一點的解釋,不妨將這些話當作老生常談,認爲它們不外乎說詩的語言應該配合詩的音調而已,别無他意;但是,我們也不妨對這個問題稍加深究,來分析一下詞的"剛柔"問題,詞與調配合的問題,以及"首末相稱,中間不敗"的意義何在的問題。

所謂"詞有剛柔,調有高下"和"詞與調合",可能講的是詩歌的抑揚律,嚴格説來,應該是一句或一聯的抑揚,而"首末相稱,中間不敗"則很可能是通篇的抑揚及調和問題。而這些話的主要内容是:一篇詩的音樂性決定於它的調的高低抑揚,而這抑揚的節奏是由每一個詞的剛柔來承擔和表現的。所以,我們首先要研討的便是"剛"和"柔"這兩個字的含義。

在一個語言系統裏,能使人爲文字語(有别於自然聲音語)發生抑揚節奏的因素,根據王力先生《漢語音韻學》的説法有四:(一)音色,(二)音的強度,(三)音的長度,(四)音高;其中尤以音高對聲調(即抑揚)最具決定性作用。但王力先生並不否認長短和升降也有關係。他以拉丁語、希臘語和英語爲例分别説明長短律和輕重律,並引申拉丁語和希臘語的長短律來比較中國近體詩的平仄律,説明因爲平長仄短的關係,平仄律也就是長短律的一種。同時,由於平聲不升不降,仄聲(上去入)或升或降,所以平仄遞用除了是長短遞用,也是平調與升調遞用(《漢語詩律學》頁六一七)。這就是説,中國古典詩,尤其是近體詩的抑揚律是由平仄來決定的。但這是不是説"剛柔"即爲平仄的别稱或泛稱呢?

平仄(或平側)一詞,在現存文獻資料中,據一般考證最早即見於《河岳英靈集》的《叙》裏。郭紹虞先生認爲平側之分在沈約的時代，即比《河岳英靈集》的時代要早三百年，即有其實（郭著《中國文學批評史》頁七九）。他説："平側之稱是後起的。在當時或稱爲'輕重'或是'飛沉'，如沈約《宋書·謝靈運傳論》'兩句之内輕重悉異'和劉勰《文心雕龍·聲律篇》的'聲有飛沉……沉則響發不斷，飛則聲颺不還'。"郭先生並進一步舉音韻學家的言論來作佐證，如顧炎武《音論》："五方之音有遲疾輕重之不同，……其重其疾則爲上、爲去、爲入，其輕其遲則爲平。"又錢大昕《潛研堂集·音韻答問》所説："古無平上去入之名，若音之輕重緩急，則自有文字以來，固區以別矣。……大率輕重相間，則平側之理已具。"郭先生又指出輕重的含義，説"輕重"又有稱"清濁"者，如蔡寬夫《詩話》所説："四聲中又別其清濁以爲雙聲，一韻者以爲叠韻，蓋以輕重爲清濁爾，所謂前有浮聲則後有切響者是也。"（同上《中國文學批評史》頁七九）根據以上諸家所説，郭先生得出一個結論："所以，以輕重清濁稱平側，不能説是傅會。"（同上）

如果根據郭先生的意見，即是，凡有關文字聲調的一些用語，如清濁、輕重、飛沉等等，所指的不外是平仄，那末我們是不是可以按此類推，把"剛柔"當作清濁、輕重、飛沉看待，而認爲它指的就是平仄之實呢？如果我們同意把剛柔認爲是平仄的兼稱，那末除了這一意義以外，剛柔是否還有其他的内涵呢？換句話説，是不是《河岳英靈集》裏剛柔一詞所指的就是平仄，而別無他意呢？

初步的看法是這樣的：剛柔一詞的含義和範圍很廣泛。它是一個通名，它可以包括輕重、清濁、飛沉、平仄這些有關聲調的名詞。而重要的一點是，它包括平仄，但不專指平仄，也更不是平仄的代用語。道理有以下兩點：第一是《河岳英靈集》中《叙》和《集論》所持的理論立場。《叙》和《集論》都對平仄律採取了批判的態度，認爲齊、梁、陳、隋以來對平仄的過分偏重是一種錯誤，認爲批評古人"不辨宫商徵羽"的一些人是"揳瓶庸受之流"。第二是《河岳英靈集》所標的雅調。從平仄律的擁護者眼光來看，像曹植的"羅衣何飄飄，長裾隨風還"是"十字俱平"，是"不辨宫商徵羽"；從《河岳英靈集》的音律標準來看，這十字却"雅調仍在"，"逸駕終存"。顯而易見，最少從殷璠來説，他所根據的是當時極爲流行的平仄律所不能兼容的一個音律標準，而這個音律標準却可以兼容平仄律。這就是説，在《河岳英靈集》裹的"調有高下"，應該可以解爲抑揚律，而"詞有剛柔"則不妨認爲是所有像輕重、清濁、飛沉甚至平仄等有關聲調方面用語的統稱。甚至，最少從平仄律擁護者的立場來看，它是與平仄律對立的一種音律觀念。統稱，是"剛柔"一詞的廣義使用；對立，則是它的狹義用法。

　　爲了要把古典詩歌音律的範疇從平仄律裹解放出來，我們姑且從狹義這方面來處理剛柔一詞。首先，我們必須證明狹義的"剛柔"是有歷史根據的，而並非隨便虚構，它的與平仄律的對立可以從王通《文中子・天地篇》提到李百藥的詩論得到一些證明。《天地篇》稱李百藥論詩"上陳應劉，下述沈謝，分四聲八病，剛柔清濁，各有端序"。這裹"剛柔清濁"合稱，同時與"四聲八病"對立而稱，足見除平仄之外，尚有他種抑揚關係。有了這一點，我們就可以瞭解爲什麽"永明體的詩有時可以不諧平仄"，而且可以進而説永明體的聲律"豈區區在平仄之間乎"（郭著《中國文學批評史》頁一〇七）。對這一點，王力先生也説："詩是給人吟誦的，古人雖没有一定的平仄格式，是不是有一種自然的聲籟，詩人們不期然而然地傾向於這一種聲籟,使它的音節諧和呢? 這自然是很合理的猜測。"(《漢語詩律學》頁三八一)不過,王先生没有進一步闡明這聲籟的性質而已。

爲了要探討剛柔所代表的,除平仄律以外的抑揚律,我們必須探討輕重清濁這些詞的内容和意義。由於輕重清濁在古人是時常互稱的,而"輕清"、"重濁"又往往並舉,因此分析起來是比較麻煩的。羅常培先生在他的《釋重輕》一文中列舉了歷代音韻學家的看法(見《羅常培語言學論文選集》頁八〇—八六)。他指出在《七音略》、《韻鏡》及《四聲等子》這些宋元時代的著作裏,輕重指的是韻母的開合,即重相當於開,而輕相當於合。但是《七音略》序却説:"七音之韻,起自西域,流入諸夏,……華僧從而定之,以三十六字爲之母,重輕清濁,不失其倫。"指的顯而易見是聲母。這跟日本《口遊》引《反音頌》云"輕重清濁依上,平上去入依下"幾乎相合。明清兩代音韻專著如江永的《音學辨微》,勞乃宣的《等韻一得》,金尼閣(Nicolas Trigault)的《西儒耳目資》,持論與《七音略》序和《反音頌》接近,皆以輕重清濁辨析聲母音勢,而與韻調無涉。難怪羅先生深嘆:"一家之言,歧出若此,異代之作,參差可知。韻學不明,此亦一主因矣。"(同上頁八二)

既然宋元明清韻學大家所説參差若此,令人莫所適從,我們也許可以下溯到《切韻》成書的時代或與其比較接近的隋唐兩代找資料和答案。《顔氏家訓·音辭篇》有云:"夫九州之人,言語不同,生民以來,固常然矣。……而古語與今殊別,其間輕重清濁,猶未可曉;加以内言外言急言徐言讀若之類,益使人疑。"繼而又説:"南方水土和柔,其音清舉而切詣。……北方山川深厚,其音沈濁而鉗純……""其謬失輕微者,則南人以錢爲涎,以石爲射,以賤爲羨,以是爲舐。北人以庶爲戍,以如爲儒,以紫爲姊,以洽爲狎,如此之例,兩失甚多。"這裏説的是南人"聲多不切",北人則分韻"不若南人之密"。至於輕重清濁的含義,《音辭篇》沒有明確指出。按照魏建功先生的看法,"自來'輕重清濁',多由混指數事,漸變爲專言一點。……黃門原文上云'輕重清濁',下言'内言外言急言徐言讀若',如用《口遊》、《反音頌》屬上屬下之説,則輕重清濁爲聲讀情況,而'内外急徐'爲韻調,'讀若'則音之各部分,次序秩然。内外急徐,又先言韻而後言調也"(見周祖謨《問學集》頁四二九、四三二)。這裏對我們最有關鍵的是魏建功先生認爲顏之推的"輕重清濁"一詞指的是聲母的分别。此爲一説。

顏之推是陸法言《切韻》捃選者之一。在《切韻序》裏有這樣一段話:"以古今聲調,既自有别,諸家取舍,亦復不同。吳楚則時傷輕淺,燕趙則多涉重濁,秦隴則去聲爲入,梁益則平聲似去。又支脂魚虞,共爲一韻;先仙尤侯,俱論是切。欲廣文路,自可清濁皆通,若賞知音,即須輕重有異。……"所謂"輕淺""重濁",意義不很清楚。據周祖謨先生的看法,它們的分别"可能是從韻母元音的洪細、前後、開合幾方面來説的"(《問學集》頁四三五)。

日本空海大師《文鏡秘府論》天卷《調聲》,有很多學者認爲是王昌齡《詩格》的一部分。内中尤以下面這一段對輕重清濁的討論最具價值:"律調其言,言無相妨,以字輕重清濁間之須穩。至如有輕重者,有輕中重,重中輕,當韻之即見。且莊字全輕,霜字輕中重,瘡字重中輕,床字全重,如清字全輕,青字全濁。"(人民文學出版社一九七五年周維德校本)清字與青字聲母相同,而不同者爲韻母。羅常培、周祖謨《魏晋南北朝韻部考》發現清與青在這階段前期可以互通,自劉宋時期以後,有些詩人如謝莊、謝朓、沈約、何遜等則分用。在顧野王的《玉篇》和陸法言的《切韻》裏這兩韻屬不同韻部。按照唐蘭先生研究所得(《切韻的性質和它的音系基礎》),韻母部位在前者爲清,在後者爲濁,開口爲清,合口爲濁,四等韻最清,一等韻最濁。

由於莊、霜、瘡、床四字都是平聲而且同一韻母,那麼它們的分別就應該在聲母。周祖謨先生指出,輕重的分別跟聲母的清濁是有聯繫的,莊字是照母字,床字是牀母字,清濁不同,所以說莊爲輕,床爲重(《問學集》頁四九八)。筆者曾向周先生請教,他在一九八五年八月十九日的回信中更詳細地指出輕重與清濁的關係:"莊爲全輕塞聲,霜爲全清擦聲,瘡爲次清,床爲全濁。皆爲照母二等字。若濁音爲重,則瘡字不得云重中輕。如瘡字説爲輕中重,則重指送氣。然則'全濁'者當爲濁音送氣矣。總之,頗爲費解。"

現在根據王力先生的紐表將這四字按照它們的發音方法列表如下:

如果將發音方法(舊名)(清、濁、次清、次濁)和王昌齡所用的全輕、全重、重中輕、輕中重比配在一起,可得如下:

帶音	不帶音	送氣	不送氣	塞擦	摩擦
	莊		莊	莊	
床		床		床	
	瘡	瘡		瘡	
	霜				霜

發音方法（舊名）	配字	王昌齡術語
全清	莊	全輕
全濁	床	全重
次清	瘡	重中輕
全清（擦聲）	霜	輕中重

從上面兩表我們可以得到以下的一些消息：

一、以"送氣"的聲母爲"重"：

　　a、以"送氣""帶音"爲"全重"（床字）。

　　b、以"送氣""不帶音"爲"重中輕"（瘡字）。

二、以"不送氣"的聲母爲"輕"：

　　a、以"不送氣""不帶音"爲全輕（莊字）。

三、以"不帶音"爲"重中輕"（霜字）。

就漢語音韻來講，聲母可以包括輔音和元音。上面的莊霜床瘡四字都以輔音爲聲母。但是輔音對於聲調的抑揚又有什麼關係呢？王力先生在《漢語詩律學》裏曾經談到這一點（頁三三—三五）。據他的解釋，輔音，特別是輔音的發音方法對於聲調的影響有重要關係。影響的主要因素有三：第一是吐氣的關係。在吐氣輔音後面的元音是一個完整的元音，而在不吐氣輔音後面的元音是一個不完整的元音。其元音既不相同，其聲調當然容易發生影響。第二是清濁音（即不帶音和帶音）的關係。王先生指出："就中國語音的歷史看來，清濁音與聲調的關係是很深很深的。……現在我們所要研究的乃是同在一個調類裏的清濁音字，看它們的聲調的曲線究竟有沒有分別。例如北京的'打'字（ta）與'馬'字

（ma），‘亭’字（ting）與‘靈’字（ling），‘布’字（pu）與‘怒’字（nu），它們聲調的曲線是否完全相同？這也是不可忽略的。”第三是鼻音韻尾的關係。如以“比”字（pi）與“餅”字（ping）相比較，“假定它們全字的聲音是一樣長短，那麼，‘比’字的聲調只寄托在元音 i 之上，而‘餅’字的聲調却寄託在元音 i 與鼻音韻尾 ng 上頭。也許當單念的時候，‘餅’字的元音 i 只表現了一個‘賞半’，却由那鼻音韻尾去完成它那漸高的曲線。總之，一個純粹元音與一個帶鼻音韻尾的元音相比較，這也是我們所應該注意的”。

上面的這一些資料都說明，除了平仄律，詩的抑揚沈鬱也可由別的關係和因素如輕重清濁等來決定的。沈約《宋書·謝靈運傳論》中說：“欲使宮羽相變，低昂舛節，若前有浮聲，則後須切響，一簡之内，音韻盡殊，兩句之中，輕重悉異。”其中所謂“浮聲”、“切響”、“輕重”，到底指的是平仄還是輕重、清濁，或者兼而有之，因佐證的材料缺乏，還無法判斷。但《文鏡秘府論·調聲》中緊接着輕重清濁那一段的，尚有一句很有啓發性的話：“詩上句第二字重中輕，不與下句第二字同聲爲一管，上去入聲一管。”這短短的一句話却提出兩個抑揚律。一是由輕重（清濁？）構成的，一是由平仄構成的。

更有意思的是這句話剛好和“拈二”這個調聲要求相呼應。“拈二”一詞並不常見。據我們所知，只有兩處出現過，一在《河岳英靈集》的《叙》裏，但現在所見各本均作“拈綴”，而《文鏡秘府論》作“拈二”。一在空海大師的《文筆眼心抄》的《調聲》篇内，在“換頭”的小標題下，舉有例子並作説明。第一個舉的例子是元兢的《蓬州野望》：

飄飆宕渠城，曠望蜀門隈。

水共三巴遠，山隨八陣開。

橋形疑漢接，石勢似煙迴。

欲下他鄉淚，猿聲幾處催。

詩下附有以下的解釋："此篇第一句頭兩字平，次句頭兩字側，次句頭兩字側，次句頭兩字平。次句頭兩字又平，次句頭兩字側。次句頭兩字又側，次句頭兩字又平。如此輪轉，自初以終篇，名爲雙換頭，是最善也。若不可得如此，即如篇首第二字是平，下句第二字是側，次句第二字又用側，次句第二字又用平，如此輪轉終篇，唯換第二字，其第一字與下句第一字用平不妨，此亦名爲換頭，然不及雙換。又不得句頭第一字是去上入，次句頭用去上入，則聲不調也，可不慎歟。此換頭或名拈二。拈二者，謂平聲及一字上去入爲一□安。第一句第二字若上去入聲，與第二句第三句第二字皆須平聲，第四句第五句第二字還須上去入聲，第六第七句安平聲，以次避之。"

上面一段提出三個專有名詞，一是"雙換頭"，一是"換頭"，一是"拈二"，講的是詩句頭兩字的調聲問題。"雙換頭"指的是詩句第一第二兩字的平仄必須相次轉換。如果我們以"○"代表平，以"×"代表側，五言八句的頭兩字平仄可以寫出如下：

○○— — —

×× — — —

×× — — —

```
○○－－－
○○－－－
××－－－
××－－－
○○－－－
```

即每聯(兩句)頭兩字的平側相對(即相反),而聯與聯間(上聯第
二句與下聯第一句)的頭兩字平側相黏(即相同)。如果只有每句
第二字遵照"黏對"的要求(唯句頭第一字不得同去上入,同平聲
無妨),其結果即是"換頭"這個規律。《文筆眼心抄》舉的是庾信
的一首短詩:

今日小園中	○×－－－
桃花數樹紅	○○－－－
欣君一壺酒	○○－－－
細酌對春風	××－－－

這種僅換第二字的"換頭"叫做"拈二"。它的所以不如"雙換
頭",是因爲它放鬆了要求。

很有意思的是,這個"雙換頭"以及"拈二"的調聲術與律詩
的平仄律中的一些重要要求完全相符,如果再加上《調聲》篇裏的
"護腰"("謂五字之中第三字也;護者,上句之腰不宜與下句之腰
同聲。然同去上入字則多,而平聲極少者,則下句用三平承之")
二術,然後"約章準句"、"穩順聲勢",即是"四聲流美""八病咸

避”的近體詩了。這是不是説，“拈二”是調聲的一個重要要求，同時也是古體詩過渡到近體詩的重要聯繫呢？我們有理由相信對這個問題的答案是肯定的。因爲“拈二”一術的應用不但是在《調聲》篇“換頭”一節中標出，而且如上面已經提到過的王昌齡有關“調聲”數語也已具證明。

更有意義的是《河岳英靈集》的《集論》裏透露的消息。《集論》對音律的處理和態度可分以下幾個層次：（一）“四聲流美”、“八病咸避”的近體詩；對此，《集論》認爲“過事拘忌”。（二）合乎“拈二”要求的詩篇，對此，《集論》認爲“縱不拈二，未爲深缺”。（三）不律調，不守“拈二”，而具有“雅調”的詩篇。總觀以上三項，合乎拈二、護腰、相承等，即《集論》裏所稱的“新聲”；《集論》裏所稱具有“雅調”的“古體”；以及介於兩者之間，即是從古體逐步經原始型的“拈二”調聲術向“新聲”發展的各類型。但無論是“新聲”也好，“古體”也好，過渡性的詩篇也好，它們必須具有一定的音律要求，這就是已經提到過的一個重要綱領：“詞有剛柔，調有高下，但令詞與調合，首末相稱，中間不敗，便是知音。”

現在我們可以進一步來推討這幾句話的含義。我們已經瞭解，所謂剛柔可以包括平仄和聲母的輕重清濁，而平仄和輕重清濁都是決定和表現聲調高下的主要因素。爲了避免音節的單調紛亂，詩歌的創作多循一升一降、一降一升的途徑演進而使其規律化，達成音節調和的要求。平仄、清濁、輕重的講求和重要性也正在此。

是否存在這樣的一種可能性，即開始時，平仄、清濁、輕重的區分也許並不像後來那麼細、那麼嚴密，詩人們也許只注意到字音的剛柔和調的關係。只要能達到"詞與調合"的要求，同一篇詩中可能應用平仄、輕重、清濁，甚至其他字音的特性如徐言急言内言外言等來表達抑揚。由於没有一定的規則可遵，表達的方法與達到音韻和諧的程度也因人而異。正如曹丕在《典論·論文》中所説："譬諸音樂，曲度雖均，節奏同檢，至於引氣不齊，巧拙有素，雖在父兄，不能以移子弟。"劉勰《文心雕龍·聲律》篇也説："和體抑揚，故遺響難契。屬筆易巧，選和至難。"選和没有成功的時候，則篇章多呈"蕪音累氣"；如果成功了，那末如"子建'函京'之作，仲宣'灞岸'之篇"，皆"音律調韻，取高前式"（《宋書·謝靈運傳論》）。

為什麼沈約特别舉出曹植的《贈丁儀王粲》一首和王粲的《七哀詩三首》之一，認爲它們是音律調韻取高前式呢？現在讓我們細看原詩，試圖找到答案。曹植的全詩如下：

（一）從軍出函谷，驅馬過西京。
（二）山嶺高無極，涇渭揚濁清。
（三）壯哉帝王居，佳麗殊百城。
（四）員闕出浮雲，承露概泰清。
（五）皇佐揚天惠，四海無交兵。
（六）權家雖愛勝，全國爲令名。
（七）君子在末位，不能歌德聲。
（八）丁生怨在朝，王子歡自營。
（九）歡怨非貞則，中和誠可經。

我們要找的綫索是每句的第二字。詩前三聯第二字，"軍"與"馬"，"嶺"與"渭"，及"哉"與"麗"，都平仄相對。詩的最後四聯，"家"與"國"，"子"與"能"，"生"與"子"，"怨"與"和"也是平仄相對。更有進者，"國"與"子"，"能"與"生"，"子"與"怨"相黏。剩下的第四、第五聯，其第二字"闕"、"露"、"佐"、"海"都是仄，似乎不調和了。但是"闕"溪母次清對"露"來母次濁，"佐"精母全清對"海"曉母次清。

現在再看看王粲的"灞岸"之篇：

（一）西京亂無象，豺虎方遘患。

（二）復棄中國去，委身適荊蠻。

（三）親戚對我悲，朋友相追攀。

（四）出門無所見，白骨蔽平原。

（五）路有飢婦人，抱子棄草間。

（六）顧聞號泣聲，揮涕獨不還。

（七）未知身死處，何能兩相完。

（八）驅馬棄之去，不忍聽此言。

（九）南登灞陵岸，回首望長安。

（十）悟彼下泉人，喟然傷心肝。

上詩第一、第二、第九和第十，這四聯的第二字都平仄黏對無誤。第四聯的"門"也和"骨"相對。其他聯的輕重清濁也大部相對。第三聯第二字"戚"清母次清與"友"雲母次濁；第五聯第二字"有"雲母次濁對"子"精母全清；第六聯第二字"聞"明母次濁對"涕"端母全清;第七聯第二字"知"知母全清對"能"泥母次濁。全詩不合平仄清濁要求的似乎只有第八聯第二字的"馬"明母次濁和"忍"日母次濁。明母是鼻音破裂帶音,而日母則是鼻音帶摩擦,兩者之間也有比較微妙的分別。比起曹植的"函京"之作,王粲此詩的音韻要更調和些。主要的原因是詩中第一、第二、第三、第四、第五、第七、第八、第十一共八聯上句的第三字(句腰)和下句的第三字平仄相對而達到"護腰"的要求。

當然,嚴格説來,子建"函京"之作和仲宣"灞岸"之篇都和"拈二"的要求尚有相當大的差距,但其篳路藍縷之功不可漠視。如果我們把"拈二"看作音律的高峰成就,那末上面兩篇所代表的應該是初期收獲,而且也符合於《文鏡秘府論》中《調聲》篇另一個抑揚律的要求:"詩上句第二字重中輕,不與下句第二字同聲爲一管。上去入聲一管。"

其實在五言詩初期能達到這樣的音律標準,能講究同聯兩句,甚至兩聯之間的抑揚關係,已並不簡單。多數詩人追求的可能還只是一句中的抑揚以及聲調的鏗鏘要求。一句的音律"選和"方法,據王昌齡《詩格》所説,大略是:"夫用字有數般:有輕,有重,有重中輕,有輕中重;有雖重濁可用者,有輕清不可用者。事須細律之。若用重字,即以輕字拂之便快也。"王氏又説:"夫文章,第一字與第五字須輕清,聲即穩也;其中三字縱重濁,亦無妨。如'高臺多悲風,朝日照北林'。若五字並輕,則脱略無所止泊處;若五字並重,則文章暗濁。事須輕重相間,仍須以聲律之。如'明月照積雪',則'月''雪'相撥,及'羅衣何飄飆',則'羅''何'相撥:亦不可不覺也。"(《文鏡秘府論》南卷《論文意》引)這兩段文字雖不多，但内容很豐富，也很重要。最主要一點，是句的調聲方法和要求是"輕重相間"，以期達到抑揚的表達。現在我們細看所舉的一例：

高	臺	多	悲	風
（全清）	（全濁）	（全清）	（全清）	（全清）
朝	日	照	北	林
（全清）	（次濁）	（全清）	（全清）	（次濁）

第一句五字俱平，但輕重相間，同時第一字和第五字輕清。第二句亦輕重相間，第一字輕清，第五字"林"字次濁是韻脚。至於其他兩例：

明	月	照	積	雪
（次濁）	（次濁）	（全清）	（全清）	（全清）
羅	衣	何	飄	飖
（次濁）	（次濁）	（濁）	（次清）	（次清）

這兩例除了差能達到輕重相間的要求外，主要的和聲來自"月"和"雪"以及"羅"和"何"的"相撥"。有趣的一點是月、雪、羅、何犯了劉勰所謂"叠韻雜句而必睽"的毛病，而王氏反而認爲是知音。其中"羅衣何飄飖"一例，《河岳英靈集》的《叙》認爲是"雅調仍在"。

我們願意指出，真正要搞清楚詩篇中輕重、清濁等演進的軌迹,那就應當運用現代科學技術的成果(如電腦檢索),對魏晉南北朝時期的詩歌音律加以通盤的考察,獲得大量的數據,這時就將能作出更合於實際情況的科學結論。我們這裏只能作一大體的論析,希望這一嘗試能有助於對這問題的進一步研究。

我們是不是可以這樣説,在五言詩的初期,由於樂府歌曲的遺緒尚在,故作詩者仍或多或少地主乎音者。到了後來,詩的可歌性逐漸轉移爲一字一句的吟咏,音律的要求也就跟着變遷,從雙聲叠韻、輕重疾徐的講求移向平仄的講求。誠如顧亭林所説:"四聲之論,雖起於江左,然古人之詩,已自有遲疾輕重之分,故平多韻平,仄多韻仄。亦有不盡然者,而上或轉爲平,去或轉爲平上,入或轉爲平上去,則在歌者之抑揚高下而已,故四聲可以並用。"又説:"古之爲詩,主乎音者也,江左諸公之爲詩,主乎文者也。文者一定而難移,音者無方而易轉。夫不過喉舌之間,疾徐之頃而已,諧於音順於耳矣,故或平或仄,時措之宜,而無所窒礙。"當然,這並不是説古無四聲。

主乎文者,注重一音一詞的輕重清濁平仄及諸音諸詞間的抑揚關係。初時或平仄輕重清濁混用或同用,遂逐漸演變爲近體詩和唐人有些古風的平仄專用。《河岳英靈集・叙》的音律説對我們的啓示,一部分就在它指出,所謂音律者不必固有於平仄律。要真正欣賞古人或唐人的古體詩,我們必須注意到除已成主流的平仄律以外的抑揚關係,也即是輕重清濁所組成的音律。同時,《叙》中更指明歷史的演進階段,由"羅衣何飄颻,長裾隨風還"這個不合平仄律而合乎清濁輕重抑揚關係並且具有半諧音(assonance)的詩句,中間經過或多或少合乎"拈二"要求的平仄關係或輕重關係,再經過合乎"拈二"、"護腰"、"相承"(即所謂"首末相稱,中間不敗")的階段,然後進入"四聲流美"、"八病咸避"純平仄律的新聲時代。但是我們不能不注意,"新聲"有新聲平仄律的要求,"古體"有古體包括平仄、輕重、清濁在內的不同要求。如果無視這些分別,強以新聲的平仄律來處理或欣賞古體詩的音律,那就是一個很大的錯誤。這也就是說,一些清代學者和他們的著作,如王元熙(王士禎之孫)的《古詩平仄論》,趙執信的《聲調譜》,李鍈的《詩法易簡錄》,翁方綱的《平仄舉隅》,黃文煥的《聲調四譜圖說》,黃庭詩的《古詩平仄集說》和《五古平仄略》(參王力《漢語詩律學》引),雖然不無見地和發明,似乎沒有注意到古體詩除平仄以外的抑揚關係,所以聚訟紛紜,令人莫衷一是。

既然談的是抑揚,那就有一句的抑揚,一聯兩句間的抑揚,聯與聯間的抑揚,和通篇的抑揚。達成抑揚的音節原則,根據《河岳英靈集·叙》的說法,是"詞與調合"。可以這麼說,一句達成抑揚即有"調",一聯的抑揚即是"叶",而通篇的抑揚即是"諧"。換言之,"羅衣何飄飄"或"明月照積雪"是一句音律的調和。它的基本原則是王昌齡所說的"夫文章,第一字與第五字須輕清,聲即穩也;其中三字縱重濁,亦無妨"及"事須輕重相間,仍須以聲律之"。子建"函京"之作,仲宣"灞岸"之篇是一聯相叶的好例子,它的基本要求似乎是原始性的"拈二",即是一聯中第一句第二字與第二句第二字的平仄或清濁相對。"護腰"和黏與否似乎出於偶然。

按照《河岳英靈集》中《叙》的看法,這種一聯相叶的音律造就似乎到陸機的太康時代就已達到高度的水平。翻看陸機的五言詩,如《於承明作與弟士龍一首》,《贈弟士龍》,和《贈文趾顧公真一首》，每聯上句和下句第二字的調叶頗似有規律存在。現在我們可以看看他的《贈交趾顧公真一首》，並專門注意每句第二字：

（一）顧侯體明德
（匣母全濁）

（二）清風肅已邁
（非母全清）

（三）發迹翼藩后
（精母全清）

（四）改授撫南裔
（全濁）

（五）伐鼓五嶺表

（六）揚旌萬里外

（七）遠績不辭小
（精母全清）

（八）立德不在大
（端母全清）

（九）高山安足淩

（一〇）巨海猶縈帶

（一一）惆悵瞻飛駕
（轍母全清）

（一二）引領望歸斾
（來母次濁）

全詩除七、八兩句的"績"與"德"兩字外,其他的或清濁相對,或平仄相對,而且起首四句還帶有黏對的形迹。

如果我們能確立古詩的音律不僅立足於平仄,且可能在輕重、清濁之上,那末一些所謂拗對或失對的句子都將不是"拗"或"失"而是叶了。我們可以舉王力先生《漢語詩律學》五古拗對諸例來看:

(一)張説《雜興》:
    白雲慚幽谷,
    清風愧泉源。
"雲"字雲母次濁與"風"字非母全清對。

(二)張説《客中遇林慮》:
    昔余涉漳水,
    驅車行鄴西。
"余"字喻母次濁與"車"字見母全清對。

(三)王昌齡《送韋十二兵曹》:
    寒夜天光白,
    海静月色新。
"夜"字喻母次濁與"静"字知母全清對。

(四)王維《自大散以往》:
    危徑幾萬轉,
    數里將三休。
"徑"字見母全清與"里"字來母次濁對。

(五)王維《宿鄭州》:

蟲鳴機杼悲,

雀喧禾黍熟。

"鳴"字莫母次濁與"喧"字曉母次清對。

一共廿三例,其中僅祖詠《古意》和李白《門有車馬客行》兩例失
對,其餘廿一例清濁、輕重都對。

現在我們看一看全篇相諧的例子,王昌齡《趙十四兄見訪》:

(一)客來舒長簟,開閣延涼風。

(二)但見無弦琴,共君盡樽中。

(三)晚來常讀易,頃者欲還嵩。

(四)世事何須道,黃精且養蒙。

(五)嵇康殊寡識,張翰獨知終。

(六)忽憶鱸魚膾,扁舟往江東。

篇中每聯第一句第二字與次句第二字平仄相對,上聯第二句第二
字與下聯第一句第二字平仄相黏,完全達到拈二的要求。而且,
除了第一聯以外,其他各聯的第三字都達到了"護腰"的要求。這
種黏對,以第二字爲主:出句的第二字和對句的第二字平仄相反,
後一聯出句的第二字與上聯對句的第二字平仄相同。王力先生
把它叫做"新式的五言古風"。他舉的例有李頎的《送王昌齡》和
孟浩然的《白雲先生王廻見訪》。至於王先生稱爲新式五古的標
準詩文如李頎的《題綦毋校書田居》:

常稱掛冠吏，昨日歸滄州。

行客暮帆遠，主人庭樹秋。

豈伊得天命，但欲爲山遊。

萬物我何有，白雲空自幽。

蕭條江海上，日夕是丹丘。

生事本魚鳥，賞心隨去留。

惜哉曠微月，欲濟無輕舟。

倏忽令人老，相思河水流。

這首詩之所以是標準或"五古正軌"，是因爲它合於我們已經討論過的調聲術裏的三個要求：拈二、護腰和相承。但《河岳英靈集》中的五古絕大多數是講求非嚴格性的"拈二"的，即是一聯出句第二字和對句第二字的平仄或清濁、輕重相反（即對），有時全篇用平仄，有時全篇兼用平仄和清濁、輕重。

　因爲詩人在全篇兼用平仄和輕重、清濁來調聲，一些所謂失對的例子，如前面已經討論過的，表面上看來平仄不對，而其實輕重是對的。不但如此，明白了這一點也有助於鑒訂詩句的出入。一個相當有啓發性的例子便是王昌齡的《觀江淮名山圖》。全詩十一聯廿二句，而《全唐詩》和四部叢刊本的《河岳英靈集》不同的竟有十四句之多；而且不是單字零詞的不同，而是全句全聯的不同。《全唐詩》所載題作《觀江淮名勝圖》，四部叢刊本題作《觀江淮名山圖》。今全錄兩詩如下：

　　《觀江淮名勝圖》　　《觀江淮名山圖》

（　一　）刻意吟雲山　　　刻意吟雲山
（　二　）尤知隱淪妙　　　尤愛丹青妙
（　三　）遠公何爲者　　　稜層列林巒
（　四　）再詣臨海嶠　　　微茫出海嶠
（　五　）而我高其風　　　而我高其人
（　六　）披圖得遺照　　　揮毫發幽眇
（　七　）援毫無逃境　　　持此尺寸圖
（　八　）遂展千里眺　　　益展千里眺
（　九　）淡掃荆門煙　　　淡掃霏素煙
（一〇）明標赤城曉　　　濃抹映殘照
（一一）青葱林間嶺　　　方溯漢江流
（一二）隱見淮海微　　　忽見淮海微
（一三）但指香爐頂　　　湘纍謾興嘆
（一四）無聞白猿嘯　　　英皇復誰吊
（一五）沙門既云滅　　　遐蹤既云滅
（一六）獨往豈殊調　　　獨往豈殊調
（一七）感對懷拂衣　　　感對懷拂衣
（一八）胡寧事漁釣　　　胡寧事漁釣
（一九）安期始遺舄　　　安期始遺舄
（二〇）千古謝榮耀　　　千古謝榮曜
（二一）投迹庶可齊　　　投迹庶可齊
（二二）滄浪有孤棹　　　滄浪有孤棹

〔按莫友芝所藏宋刊本《河岳英靈集》（今歸北京圖書館藏），王昌齡此詩之文字同於《全唐詩》，而四部叢刊本《河岳英靈集》係沈曾植舊藏，據沈氏記云此係明翻宋刊。則此詩文字出現較大之歧異，宋時已然。經本文之比較，四部叢刊本所載當接近於王昌齡原作。〕

現在我們來細察每聯中出句和對句的第二字平仄、輕重、清濁。《全唐詩》的《江淮名勝圖》黏對都做到，通篇無誤。而四部叢刊本的《江淮名山圖》，第一聯"意"與"愛"平仄不對，第二聯"層"與"茫"平仄不對，第四聯"此"與"展"平仄不對，第五聯"掃"與"抹"平仄不對，第六聯"溯"與"見"平仄不對，第七聯"縈"與"皇"平仄不對，一共六聯，佔全詩一半以上。從拘守平仄律的眼光看來，四部叢刊本的這首詩實在是有很大的問題。這是否原作者不懂音律呢？如果說是不懂，爲何最後四聯八句的音調如此調和，完全合乎平仄黏對的規律呢？爲了使通篇音調按平仄律的要求來取得調和，那只有動大手術，作大改變。其結果呢？那就使原詩失去真面目，含意和藝術造就也就十分平庸了。我們當然無法確知改作始於何時，起於誰手，但始作俑者的藝術造就和對唐人五古的認識可能是比較有限的。他不知第一聯出句的"意"和對句"愛"是韻母內外的分別，第二聯"層"與"茫"是全濁次濁之分；同時"稜層"是疊韻，"微茫"是頭韻，即是王昌齡在《論文意》中所說的"以聲律之"。第四聯"尺"次清，"展"全清，第五聯"掃"全清，"抹"次濁，第六聯"溯"審母摩擦不帶音（輕中重），"見"見母全清（全輕），第七聯"縈"次濁，"皇"全濁，都發生了對的關係，合乎《河岳英靈集·論》裏提出的"詞有剛柔，調有高下"、"詞與調合"的音律要求，同時也正反映出盛唐之音的真實面貌。

　　《河岳英靈集》的音律說，其意義當然不僅在於它能幫助我們進一步欣賞五古的音樂美，更重要的是它把我們從平仄律"獨家經營"的傳統看法中解放出來。這樣一來，我們固然不能無視像趙執信、翁方綱、董文焕這些學者對五古平仄律的研究成就，但看來無須泥守他們的看法，將五古的音律搞得七零八碎。《河岳英靈集》成書於天寶後期，它的音律說當然是有時代性的。它的音律說也許適合於研究和欣賞盛唐的五古，而不一定合於盛唐以後的作品。不過無論如何，它對從建安到盛唐這一大段時期內古詩音律的演進和成就，作了一個概括和總結。難怪《河岳英靈集》的編者認爲："璠今所集，頗異諸家。既閑新聲，復曉古體。文質半取，風騷兩挾。言氣骨則建安爲儔，論宮商則太康不逮。"

殷璠生平及《河岳英靈集》版本考

一

關於殷璠生平的記載極爲簡略，現在所知不過數條而已。《新唐書·藝文志》提到殷璠有兩處，一是《藝文志》四詩集類著録《包融詩》一卷，稱融與儲光羲都爲潤州延陵人，並提到同時曲阿丁仙芝等，句容殷遥等，江寧孫處玄等，丹徒馬挺等，共十八人，都有詩名，"殷璠彙次其詩，爲《丹陽集》者"。另一處是同卷總集類，著録："殷璠《丹陽集》一卷，又《河岳英靈集》二卷。"吳融、儲光羲及丁仙芝等，都是潤州（治所在今江蘇鎮江）人，這些人除極少數較有名聲外，其聲聞是不出鄉閭的，殷璠能彙次其詩，則當與他們生同時，居同里。

唐人較早提及殷璠的，是晚唐詩人吳融，他的《過丹陽》一詩説："雲陽縣郭半郊坰，風雨蕭條萬古情。山帶梁朝陵路斷，水連劉尹宅基平。桂枝自折思前代（自注：李考功於此知貢舉），藻鑑難逢耻後生(自注:殷文學於此集《英靈》)。遺事滿懷兼滿目,不堪孤棹艤荒城。"(《全唐詩》卷六八四)這裏的"李考功於此知貢舉"當指李希言,但稱李希言爲考功,則有誤。《唐才子傳》卷三顧況小傳記:"顧況,字逋翁,蘇州人。至德二載,天子幸蜀,江東侍郎李希言下進士。"這時正是安史之亂起,長安陷於安史亂兵,貢舉試不能在京都舉行,於是分遣使臣於東南一帶進行考試。《新唐書》卷一二〇《崔玄瑋傳》附子渙傳云:"肅宗立,與韋見素等同赴行在。時京師未復,舉選不至,詔渙爲江淮宣諭選補使,收採遺逸。"(《舊唐書·肅宗本紀》亦載是年"十一月,詔宰相崔渙巡撫江南,補授官吏")顧況當於此年在蘇州應試及第的(見《全唐文》卷五二九顧況《送宣歙李衙推八郎使東都序》:"天寶末,安禄山反,天子去蜀,多士奔吳爲人海。帝命乃祖,掌乎春官,介珪建侯,統江表四十餘郡。雷行蟄動,時況搖筆獲登龍門")。不過這時候李希言爲禮部侍郎。《會稽掇英總集》卷一八《唐太守題名》載:"崔寓:至德二年自江夏郡太守授,其年六月改給事中。李希言:自禮部侍郎兼蘇州刺史充節度採訪使,轉梁州刺史。"(以上材料曾參《唐才子傳校箋》卷三趙昌平先生所作顧況傳箋證)《舊唐書》卷一三七《李紓傳》也稱紓爲"禮部侍郎李希言子"。按唐代前期本以考功員外郎、考功郎中知貢舉,開元二十四年李昂以考功員外郎知舉時爲舉人所辱,朝廷以考功望輕,遂定此後即以禮部侍郎知貢舉。

　　吳融詩注或者是用典,以考功喻典舉。但由此也可知吳融過丹陽時,是有意以當地情事入詩的。李希言是如此,殷璠當也如此。吳融稱殷璠爲"文學",這是所有記載中稱殷璠官職的唯一的材料。《嘉定鎮江志》卷一八載：“殷璠，丹陽人，處士，有詩名。”《至順鎮江志》卷一九同。宋刻本《河岳英靈集》首頁首行“河岳英靈集”五字下署“唐丹陽進士殷璠”。按據《新唐書·百官志》，東宮官崇文館有文學三人，爲正六品下，“分知經籍，侍奉文章”。此爲宮闈親近，殷璠不可能擔任此職。另外王府官，西都、北都、東都、都督府也都各有文學之職，各州則僅上州設文學一人，從八品下。潤州在唐爲上州，則殷璠很可能即任潤州的文學，係一個從八品下的品位低微的小官。至於他是否進士及第，限於史料，不敢斷定。唐代進士登第稱前進士，僅應貢舉者稱進士。至宋代則進士登第即可通稱進士。宋時刻本稱進士，而無唐時史料，難以證實。州的文學之職，品位既低，按照唐時習俗，特別是前期，即使不由進士登第出身，也是可以聘任的。

吳融説殷璠在丹陽編選《河岳英靈集》，這與殷璠自叙“璠不揆，竊嘗好事，願删略群才，贊聖朝之美，爰因退跡，得遂宿心”，是一致的。殷璠很可能很快就辭去此品位極低的官職，長時期退隱，《嘉定鎮江志》因稱爲處士。他在對詩人的評論中一再以文學成就與仕履進退相對立以表示對世局的不滿，認爲有才能的人，不是屈居下位，就是受到謗毀。常建的評語中説：“高才而無貴仕，誠哉是言。”按高才無貴仕，魏徵的《隋書·文學傳序》中已提及。後來盧藏用《右拾遺陳子昂文集序》中説：“嗚乎！聰明精粹而淪剝，貪饕桀驁以顯榮，天乎天乎！”（《全唐文》卷二三八）張説《貞節君碑》有：“惜乎，有大才，無貴仕，命也。”（《全唐文》卷二二六）都表示過類似的意思。而殷璠則以詩選詩評的方式，集中表達人才受壓受謗的強烈情緒，應該説一方面與他個人的進退出處有關,另一方面更主要的則是天寶時局的深刻矛盾和不少優秀詩人的坎坷遭遇,這可與李白詩中一再表現出的懷才不遇的主題作比較的研究。

也正因此,他評詩兼及爲人,注重氣骨,如説薛據"爲人骨鯁,兼有氣魄,其文亦爾。自傷不早達,故著《古興》詩云:'投珠恐見疑,抱玉但垂泣,道在君不舉,功成歎何及。'怨憤頗深"。殷璠因賢才的不遇而憤慨於社會的不平,因此無論選詩或評論,不避"怨憤",又主張"志不拘檢"。對李白,稱贊其"率皆縱逸","奇之又奇";對王季友,肯定其"愛奇務險";對高適,説他"不拘小節","甚有奇句";説岑參"語奇體峻,意亦奇造";對祖詠,説他"調頗凌俗";對當時並不著名的李嶷,説他"翩翩然佚氣在目"。在天寶時期,如此集中地强調詩歌貴在表達不平、怨憤,標舉奇險、高峻、凌俗、佚氣,這樣一種文學思想和創作情緒,是很值得注意的。

正因如此,遂使得這部詩選有着不同尋常的理論風概。晚唐詩人鄭谷曾以之與《中興間氣集》相比,認爲高仲武的選本在深度上與此不可同日而語:"殷璠裁鑒《英靈》集,頗覺同才得旨深。何事後來高仲武,品題《間氣》未公心。"(《全唐詩》卷六七五)《河岳英靈集》所收以五古爲主,而《中興間氣集》以律體佔大半,大部分爲五律,這表明兩個不同時期的詩風。我們應當從詩歌演進的軌迹作歷史的考察,無需作簡單的褒貶。而像元人楊載《唐音序》稱殷璠所收五言多,七言少,律絶不過數首,而加以指摘,那就是根本不了解殷璠所處的詩壇環境與編選者品鑒意向。

除了鄭谷、吳融外,五代人孫光憲對《河岳英靈集》也給予極高的評價,他所作的《白蓮集序》説:"有唐御宇,詩律尤精,列姓字,掇英秀,不啻十數家,惟丹陽殷璠,優劣升黜,咸當其分,世之深於詩者,謂其不誣。"(《全唐文》卷九〇〇)我們還可舉出一個例子:《十國春秋》卷七三《楚·石文德傳》載連州人石文德仕於湖南馬氏,"素不善草隸、詩律,一日得晋帖數紙,及閱殷璠詩選,極力摹倣,久之迥出儕輩,遂工於詩"。孫光憲仕於荆南,石文德在楚,可以見出《河岳英靈集》在五代兩湖地區流傳的情況。

《河岳英靈集》選詩迄於何年,有三種不同的記載。現存各本《河岳英靈集》的《叙》及《文鏡秘府論》南卷《定位》所引,都作"起甲寅,終癸巳"。甲寅爲開元二年(公元七一四),癸巳爲天寶十二載(七五三)。而《文苑英華》卷七一二所載殷璠《叙》,作"終乙酉",則應是天寶四載(七四五)。又《國秀集》後宋徽宗大觀年間曾彦和跋,謂"殷璠所撰《河岳英靈集》作於天寶十一載"。作於天寶十一載(七五二),則所選當在此年之前。岑仲勉先生《唐集質疑》中曾有考,謂殷璠當在天寶時編撰此書,"乙酉、癸巳孰是,非將全集詩稍加考證,不能遽定也"。岑先生此説極是,但似過於拘謹,其實所收的有些詩是可以容易考知其年代,從而斷定乙酉、癸巳兩説的是非的。王運熙、楊明兩位先生就做了這樣的工作,他們兩位合寫的《〈河岳英靈集〉的編集年代和選録標準》一文(載《唐代文學論叢》第一期,一九八二年),就分别考核了李頎《聽董大彈胡笳聲兼語弄寄房給事》,高適《封丘作》,李白《夢遊天姥山别東魯諸公》、《憶舊遊寄譙郡元参軍》等詩,考明這些詩都作於天寶四載以後,而評語中叙及的王昌齡、賀蘭進明後期的事迹,也只能在天寶四載以後,不能在此之前。王、楊兩位先生的考證是可信的。宋人曾彦和之説,别無所據,他可能因"終癸巳"句而錯算了一年。從目前所見的材料看來，應以癸巳説爲是。

殷璠除了《河岳英靈集》外，還有《丹陽集》。《丹陽集》已佚，但從宋人《吟窗雜録》中仍能見到他的一些評語殘文及所選的某些詩句。陳尚君先生有《殷璠〈丹陽集〉輯考》（載《唐代文學論叢》第八輯，一九八六），卞孝萱先生有《殷璠〈丹陽集〉輯校》（見所著《唐代文史論叢》，山西人民出版社，一九八六），都有輯録，讀者可以參看，兹不詳述。陳文還對《荆楊集》是否《丹陽集》作了考析，其説甚是，今摘引其結語於此：

《河岳英靈集》於儲光羲評語中謂："《述華清宮》詩云：'山開鴻濛色，天轉招揺星。'又《遊茅山》詩云：'山門入松柏，天路涵虚空。'此例數百句，已略見《荆楊集》，不復廣引。"前人有疑此處的《荆楊集》即《丹陽集》的。陳文認爲：一，二集名不同，各本亦無異文。二，《丹陽集》僅一卷，而《荆楊集》卻收"此例數百句"，顯然不合。三，《全唐詩》卷一三六《述華清宮五首》自注："天寶六載冬十月，皇帝如驪山温泉宮，名其宮曰華清。"則詩當爲其後所作。而據陳文所考，《丹陽集》乃開元末所編，則不可能收天寶時期之詩。《新唐書·藝文志》有《儲光羲集》七十卷，因此陳文疑此《荆楊集》爲儲集初名。

二

殷璠在《叙》中，説他這部詩選所收，計詩人二十四人，詩二百三十四首，分爲上下卷。這是他的自述，應當是可信的，但這幾個數字在不同的記載中却有差異。《文苑英華》卷一二所載殷璠的《叙》，作三十五人，一百七十首。以今所存各本《河》集統計，及《文鏡秘府論》南卷《定位》所載，詩人之數都是二十四，較爲一致。《文苑英華》作三十五人，出入太大，恐不足信。詩篇則各本及《文鏡秘府論·定位》所載，都二百三十四，但以今存各本統計，僅二百三十首。清《四庫全書總目提要》稱殷璠的張謂評語中曾舉出《代北州老翁答》與《湖上對酒行》的篇名，而集中則只有《湖上對酒行》而無《代北州老翁答》，因此"疑傳寫有所脱佚"。這一説法是有一定道理的。雖然我們注意到趙士煒《宋中興館閣書目輯考》卷五中引《玉海》卷五十九，稱其所收詩"總二百三十首"，與今存各本實際數一致，但南宋的《直齋書録解題》（卷十五）還是稱"集常建等詩二百三十四首"。"二百三十四"這一數目，各書、各本所載如此一致，而且又有《四庫全書總目提要》提出的疑問，使人覺得《叙》中的"二百三十四首"確是殷氏原文，而現在所存之所以僅爲二百三十首，則可能是因流傳過程中有所脱漏。

　　問題最大的還是卷數的差異。殷璠的自叙明説"分爲上下卷"，《新唐書·藝文志》總集類也載《河岳英靈集》二卷，《直齋書録解題》同。而《四庫全書總目》作三卷，《提要》中還就三卷之分作出解釋，説是"毋亦隱寓鍾嶸三品之意乎"，也就是説鍾嶸《詩品》中分上中下三品，殷璠的書作三卷，則對所選的詩人也有高下評價的不同。

　　《提要》的這一説法曾招致後人的譏評。乾隆五十九年甲寅（一七九四），黄丕烈得到一部毛扆（斧季）手校的二卷本，認爲與《直齋書録解題》所載卷數相合，於是説："近人撰集書目，僅據俗本分卷之三而爲之説曰,推測其意,似以三卷分上中下三品,實啻癡人説夢。古書可貴,即此可見。"此處所説的"近人撰集書目",即指《四庫全書總目提要》,但因《提要》爲奉旨撰集,時間又相近,不能明説,故只好以"近人"稱之。近代學者余嘉錫又進一步申論,其所著《四庫提要辨證》卷二四謂:"璠序云:'粵若王維、昌齡、儲光羲等二十四人,皆河岳英靈也。'然則璠意中本無高下之分,即令有之,於其所舉三人,亦是相提並論,而今本王維在卷上,昌齡、光羲乃在卷中,若以此爲三品,豈璠之意乎?"

黄、余二氏之説是對的,由此我們可以明確這樣一點,即《河岳英靈集》原爲二卷,以後纔在流傳過程中逐漸變成爲三卷,其時間當在宋元之間或元明之間。

殷璠自己説"分爲上下卷"。《新唐書·藝文志》、《直齋書錄解題》以及《中興館閣書目》都作二卷,可見北宋前期到南宋中期,《河岳英靈集》流傳於世的,都是二卷本,未有作三卷的。不過我們應當注意到,與陳振孫同時的晁公武,在其所記頗爲豐富的藏書記(《郡齋讀書志》)中,已無《河岳英靈集》的記載。尤袤的《遂初堂書目》亦無著錄。《文獻通考·經籍考》雖載有《河岳英靈集》,且也作二卷,但馬氏此處僅引陳振孫語,不足以證明馬氏實際見過此書。由此也可推知兩卷本的《河岳英靈集》在南宋中期已經所傳不多了。

今所見的兩卷本《河岳英靈集》,都藏於北京圖書館善本部,一爲明清之際的季振宜所藏,一册,首尾有缺頁,鈔配,又缺《叙》、《集論》、目錄。卷末有季氏題款:"泰興季振宜滄葦氏珍藏。"每頁十行,每行十八字。另一爲清末莫友芝所藏據毛扆校本過錄的本子，二册，《叙》、《集論》、目錄等都全，卷末有"丙寅初冬邵亭校讀一過"十字。丙寅爲同治五年（一八六六）。此書亦爲每頁十行，每行十八字。此二書經過我們仔細核對，可以確定是出於同一刻本，即都是宋刻。兩書中，崔署的署字缺末筆，又署詩《宿大通和尚塔敬贈如閣梨廣心長孫錡二山人》之敬字缺末筆。又如高適《哭單父梁九少府》"一官恒自哂"，恒字缺末筆；儲光羲《使過彈箏峽作》"苦節不可貞"，貞字缺末筆；儲光羲《雜詩》"達士志寥廓"、王昌齡《東京府縣諸公與綦毋潛李頎送至白馬寺宿》"南風開長廓"之廓字，都缺末筆。按用缺末筆避諱始於唐代，但唐代避諱的法令較寬，至宋代始嚴，不但避今上諱，還避本朝前幾世皇帝嫌名。宋紹定（一二二八）禮部韻略，卷首猶載淳熙（一一七四——一一八九）、紹熙（一一九〇——一一九四）時應避舊諱及諸帝嫌名，有過五十字以上者（參陳垣《史諱舉例》卷八《宋諱例》）。以上所舉幾處缺筆，署字避英宗諱，敬字避太祖祖敬名諱，恒字避欽宗諱，貞字避仁宗諱，都屬北宋，廓字避寧宗擴嫌名。錢大昕《潛研堂文集》卷二八《跋宋太宗實錄》曾云："《宋太宗實錄》八十卷。……今吳門黃孝廉蕘圃所藏，僅十二卷，且有脱葉。每卷末有書寫人及初對覆對姓名，書法精妙，紙墨亦古。於宋諱皆缺筆，即慎、敦、廓、筠諸字亦然。予決爲南宋館閣鈔本，以避諱驗之，當在理宗朝也。"兩卷本的《河岳英靈集》之避諱與錢大昕所説有類似之處，廓字避寧宗（一一九五——一二二四）諱，則其書之刻不會在此之前，這時距南宋之亡（一二七九），已經不遠。

在這之後，即不見有兩卷本著錄。明代有兩位著名藏書家，是真正記録他所過目並收藏的圖書的，一是陳第，一是高儒。經查核，陳第的《世善堂藏書目》未見著錄，高儒的《百川書志》記有《河岳英靈集》，作三卷，但又說"舊分二卷"（卷十九總集類）。黃虞稷、周在浚所作《徵刻唐宋秘本書目略說》，謂《百川書志》乃"志其家藏書，如晁公武之例"。高儒爲明嘉靖時人，當明中葉。這或許是現在所見最早著錄三卷本的書目，可見在明代中期，《河岳英靈集》流傳於世的，已是三卷本了。

在此稍後，即毛晉文淵閣刻的三卷本。毛晉爲明末江南有名的藏書家兼刻書家，家富於財，以所購宋元舊本之多且精名於世。但後世也有對他提出批評的，葉德輝《書林清話》好幾處提到汲古閣刻書的弊病，如說："然其刻書不據所藏宋元舊本，校勘亦不甚精"；"孫從添《藏書記要》又云，毛氏所刻甚繁，好者僅數種"；"龔圃嘗云，汲古閣刻書富矣，每見所藏底本極精，曾不校，反多臆改，殊爲恨事。"（卷七《明毛晉汲古閣刻書之一》）毛晉是否收藏有兩卷本的《河岳英靈集》，不得而知，但其所刻則爲三卷本，莫友芝《郘亭知見傳本書目》卷十六稱其所藏南宋本，"字句與毛本小有異同"，其實二者文字差異還是不小的。較大的如宋本孟浩然《夜渡湘江》、《渡湘江問舟中人》兩詩，毛晉的本子都移作崔署詩；王昌齡的《詠懷》、《觀江淮名山圖》兩篇五言古詩，毛晉的本子與莫氏藏本，十之八九的文字不同。傅增湘《藏園群書題記》中也說："宋本序後有《集論》一首，孟浩然詩有《送張子容》一首，均爲汲古閣本所無。諸家評語中，如崔顥、孟浩然文頗有異，綦毋潛小序尤迥然不合。其他單詞隻字，更難以僂指計，蓋自明代翻刻以後，沿訛襲繆，已匪一日矣。"（卷十九）我們懷疑毛晉得見的《河岳英靈集》，恐怕即是《百川書志》所著錄的在明代傳世的三卷本。

毛晋之後,其子扆又曾翻刻過一次,也是三卷本,但這是毛扆從一舊鈔本校過的,後又爲黄丕烈所得,今藏北京圖書館善本部。卷首有黄氏乾隆癸丑(乾隆五十八年,公元一七九三)題識,稱:"東城任蔣橋顧氏,藏書舊家也。余從其族中得來佳本最多。一日藏書盡散,書友捆載而歸,邀閲之,悉爲其家藏書之下乘,舊刻名鈔,無一存者。惟此本係汲古主人手校本,急檢出,以賤直易之,滄海遺珠,竟爲象罔之得,喜何如之。"黄氏所述得書緣由甚詳且明。此書卷末有毛扆題字,云:"壬戌五月廿一日從舊鈔本校一過。毛扆。"毛扆生於一六四〇(明崇禎十三年),壬戌當是康熙二十一年(一六八二)。上面引述的黄丕烈甲寅年(一七九四)跋,也説此"係汲古主人毛斧季手校本,渠所據云是舊鈔本,集中改正處尚未細審是否,即其分卷之妙,已爲可珍"。從這裏可以見出,毛扆所謂舊鈔本,是兩卷本,這是毛晋未得見而爲毛扆所得的。但毛扆並未據此舊鈔本翻刻,而僅以校汲古閣刻本,而所校又相當疎略。

　　較毛扆稍晚、大略同時的何焯(義門),也曾見過兩卷本,並作過認真的批校。北京圖書館善本部藏有一部明崇禎元年毛氏汲古閣刻的《唐人選唐詩》八種,其中的《河岳英靈集》有近代著名藏書家傅增湘臨何焯批校。集末有何焯跋:"丁丑仲夏承筐書塾閲。鄭都官於殷、高二子深致抑揚,然未足爲商、周也。"何焯對殷璠選詩的標準頗有不滿,對《河岳英靈集》評價不高,這在前文《唐人選唐詩與〈河岳英靈集〉》中已有論列,這裏不再詳述。何焯卒於康熙六十一年(一七二二),丁丑當爲康熙三十六年(一六九七)。這是毛扆用兩卷的舊鈔本校汲古閣本之後的十五年。《書林清話》卷七《明毛晋汲古閣刻書之四》曾記云："毛氏汲古閣藏書,當時欲售之潘稼堂太史末,以議價不果,後遂歸季滄葦御史振宜。黃丕烈《士禮居叢書》中所刻毛扆《汲古閣珍藏秘本書目》,所載價目,即其出售時所録也。"按季振宜於清初亦爲藏書名家,其書多得之於毛氏汲古閣、錢氏述古堂,今存《季滄葦藏書目録》,書中"宋板書"即著有《河岳英靈集》上下二卷,一册,當即北京圖書館所藏之本。

現在再説何焯的批校。何焯的工作計有兩項,一是批,二是校。批是關於對殷璠選詩的意見,以及對所選詩的評價。這些批語有的寫在眉端,有的寫於題下或篇末。傳世的《何義門讀書記》未曾收載,我們現在把它們鈔録下來,附載書末,供讀者研究。何焯的校語,據傅增湘所臨,絶大部分是在汲古閣本上有關文字旁作注,或畫圈,即他認爲有異文可並參的,在旁注字,認爲有誤的,勾去本字,旁注改正的字。我們曾據以通校莫友芝所藏的宋本,發現何焯所據以與汲本相校的,即此種兩卷本的宋刻本,凡汲本與宋本相異的,何氏都一一勾出,而不管宋本正確與否。他的目的似乎是純客觀的對校,旨在提供兩本的異同,而不加意斷。而由此倒使我們可以推知,即何焯是見過兩卷本的宋本的,但不知他所據校的這一宋本後歸向何處。傅增湘是臨何焯的批校,於卷末跋云："丙辰正月借木師所藏義門批本移寫,三日而畢。"丙辰爲一九一六年。《藏園群書題記》也説:"此集義門所據似是鈔本,故篇中誤字咸未刊正,惟於評點致力耳。"(卷十九)木師即李盛鐸。李盛鐸藏書後多歸燕京大學圖書館,今藏於北京大學圖書館。我們曾向北大圖書館查詢,於李氏藏書中未見此本,或已佚失,至爲可惜。

自從毛晉父子相繼校刻之後，雖間有三卷本輾轉流傳於一些藏書家、校勘學家之手，但世間通行的已是汲古閣所刊的三卷本，一般人幾乎已不知道三卷本的《河岳英靈集》了。《四庫全書總目提要》之所以誤以鍾嶸《詩品》相比，也是在這種情況下產生的。這裏我們還要介紹另一種三卷本，即涵芬樓《四部叢刊初編》的《河岳英靈集》。這個本子是據沈曾植所藏影印的，而據沈氏所云，此雖明刻，實覆宋本。沈氏爲清末民初的大學問家，他的意見應予重視。這裏擬對此稍加論述。

沈曾植《海日樓題跋》卷一《明刻本河岳英靈集跋》云："甲寅三月，借傅沅叔新得宋本《河岳英靈集》校於毛刻本上，字句異同頗多，其間亦有毛不必非，宋不必是者。宋刻誤處顯然，固不少也。六月中，復得此明本，乃知毛氏分卷，實祖於此。此前有刻書人小啓，則覆宋本也。文與宋本不同者，往往與宋本所注一作者合，是此祖本尚在傅本之前。"沈氏謂以毛本校宋本，其間有毛不必非，宋不必是者，這是對的，但説他所得的這個本子乃覆宋本，則不確。所謂刻書人小啓，即卷首"目録"次行下方的三行文字，爲："切見詩之流傳於世多矣，若唐之《河岳英靈》、《中興間氣》，則世所罕見焉。本堂今得此本，編次既當，批摘又精，真詩中無價寶也。敬録諸梓，與朋友共之。四遠詩壇，幸垂藻鑑。謹啓。"

筆者數年前曾就這個問題請教於陝西師範大學古籍研究所所長黃永年先生，黃先生於一九八七年十二月來信談了他的看法，今將有關部分摘引如下："《叢刊》影印所用底本，即沈曾植藏明本（即沈跋之本）。以有所謂刻書人小啓，指斷其原本爲南宋建陽書坊刻本(其書坊名稱則已略去不刻或剜去不印),因謂是覆宋本耳。然建陽之元刻本常有此類刻書啓(南宋建本則較少有此類啓,南宋臨安書棚本更無此類啓),而從其行款字體也只能是明嘉靖時重刻,決非覆刻。過去藏書家對所藏善本之刊行時代多興到夸大之語,不足爲憑。"

黃永年先生是著名的唐史專家,他同時又是有實踐經驗的版本目録學專家。他在八十年代出版的《版本目録學概論》,篇輻雖不算太大,却十分精萃,有不少經驗之談和自得之見。上引信札中的一段話,通達明切,可謂確論。我們這次以此本與宋本及汲古閣刻本、毛扆校本通勘,發現凡宋本與汲、毛兩本異者,沈氏藏本多同於汲、毛本而異於宋本。一些重大的歧異,如王昌齡的《詠史》《觀江淮名山圖》,如前面所引述過的,宋本與汲、毛本有重大的文字差異,沈氏藏本也恰恰同於汲、毛本。孟浩然《渡湘江》兩首,沈氏藏本與汲、毛本同樣也列於崔署名下。至於同爲三卷,則更屬於明本系統,不在話下。

當然,我們還可以拿現在已經確定的宋本別集與《河岳英靈集》各本比勘,看看沈氏藏本是否更接近宋刻。但情況也很複雜,不易確定。如常建詩,現在有宋臨安書棚本《常建詩集》,收入天禄琳瑯叢書。這也是一個南宋本。其中《送李十一尉臨溪》,宋本《河》集"軫起宮商調,越聲澄碧林",汲本、毛本都作"回軫撫商調,越溪澄碧林",與宋本《常建詩集》同,沈氏藏本則同於宋本《河》集。另一例子,宋本《河》集有《閑齋卧疾行藥至山館稍次湖亭二首》,爲二首五律,而沈氏藏本與汲本、毛本都作一首,詩題也同作《閑齋卧疾行藥至山館稍次湖亭作》,無"二首"字。在這一點上，宋本《河》集又與宋本《常建詩集》相同。我們還可舉出李白詩集的例子。上海古籍出版社一九八〇年出版的瞿蜕園、朱金城兩先生編撰的《李白集校注》，以清乾隆刊本王琦輯注的《李太白文集》爲底本，而以北京圖書館藏宋刊本《李太白文集》及日本京都大學人文科學研究所影印静嘉堂藏宋刊本《李太白文集》（即陸心源皕宋樓藏本）相校勘。從校核中我們可以窺見兩宋本的一些情況，並可以此作爲依據來觀察沈氏藏本文字的異同。如李白《蜀道難》，宋刻本《河》集有“六龍回日之高標”，沈氏藏本作“橫河斷海之浮雲”，兩宋本《李太白文集》同於宋刻本《河》集，但於此句下注“一作橫河斷海之浮雲”。由此我們還可認爲沈氏藏本有同於宋時之另一本的，但《夢遊天姥山》，宋本《河》集有“使我不得開心顏”，王琦注本、兩宋本都同，而沈氏藏本則作“暫樂酒色彫朱顏”。

這些異同的例子，數量很多，舉不勝舉。從這些情況可以得出什麼認識呢？我們認爲，第一，同爲宋刻本，因版本流傳系統不同，文字各有差異，以後代的某一刻本相校，是很難從某些異同中遽而得出此一刻本即爲覆宋刻本的結論的。第二，沈氏藏本在文字方面有一定的優點，但整體説來，它是更同於汲本、毛本，它應是明刻本的系統。第三，這也使我們在進行這次《河》集校勘時，於體例上確定這樣一個原則，就是：鑒於詩歌別集本身版本各有不同的情況，因此本書不採取與各有關詩集相校的辦法，否則將不勝其繁而失却《河岳英靈集》本身系統比勘校核的意義。

通過上面的論述，我們可以得出這樣的結論：一、殷璠自編的本子原爲二卷，這個本子一直流傳到南宋。二、宋元之際或元明之際，二卷本的《河岳英靈集》極少流傳，幾至失傳。而自明代前期開始，有三卷本出現。三卷本在流傳過程中亦幾經翻刻，各本之間也頗有不同。三卷本與二卷本，分卷不同，字句有不少差異，但詩人、詩篇的數量是相同的。三、二卷本屬宋本系統，三卷本屬明本系統。三卷本有可能據宋時某一刻本翻刻，因此在文字上保留了某些合理部分，不能因其明本而忽略之。

我們現在整理的本子，是以二卷本作底本，因爲這是較早的，也是較接近於殷璠自編的本子。同時用汲古閣本（簡稱汲本）、毛扆校本（簡稱毛本）、沈氏藏本（因已爲涵芬樓影印，收入《四部叢刊初編》，因簡稱叢刊本）相校。校勘採取對校的辦法，底本雖有誤但一般仍不予改動，底本是而他本誤者，仍予校出，以見出各本流傳的情況。何焯是曾據某一宋本相校的，可以概見清初版本流傳之一例，故亦注出，以備參核。《唐詩紀事》中有引殷璠評語的，當是計有功在當時曾見到《河岳英靈集》的一種本子，他所引述的，可以作爲一種版本看待，因此詩人評語部分用以相校，詩篇則同別集例，不與《唐詩紀事》對校。《文苑英華》、《文鏡秘府論》所載殷璠序，有現存各本所無的，這次據以補入。另外，殷璠所選，有的爲其他唐人選唐詩或《全唐詩》收入而作他人所撰的，也予校出，這方面我們得到河南大學佟培基先生很大的幫助，他曾提供給我們一份詳細的資料。總之，我們希望通過此次校點，整理出一個研究者可以作爲依據的、信實的本子，使得關於殷璠和《河岳英靈集》的研究能進一步深入。這也是我們最大的願望。

河岳英靈集(校點)

河岳英靈集

唐丹陽進士殷璠

叙曰:梁昭明太子撰《文選》[一],後相效著述者十餘家,咸自稱盡善,高聽之士,或未全許。且大同至於天寶,把筆者近千人,除勢要及賄賂者,中間灼然可尚者,五分無二,豈得逢詩輒纂[二],往往盈帙。蓋身後立節,當無詭隨,其應詮揀不精,玉石相混,致令衆口銷鑠[三],爲知音所痛。

夫文有神來、氣來、情來,有雅體、野體[四]、鄙體、俗體。編紀者能審鑒諸體,委詳所來,方可定其優劣,論其取捨。至如曹、劉詩多直語[五],少切對,或五字並側,或十字俱平,而逸駕終存。然掣瓶庸受之流[六],責古人不辨宮商徵羽,詞句質素,恥相師範。於是攻異端,妄穿鑿,理則不足,言常有餘,都無興象,但貴輕艷。雖滿篋笥,將何用之?自蕭氏以還,尤增矯飾。武德初,微波尚在。貞觀末,標格漸高。景雲中,頗通遠調。開元十五年後,聲律風骨始備矣。寔由主上惡華好朴,去僞從真,使海内詞場,翕然尊古,南風周雅,稱闡今日。璠不揆,竊嘗好事,願删略群才,贊聖朝之美，爰因退跡，得遂宿心。粵若王維、昌齡、儲光羲等二十四人〔七〕，皆河岳英靈也，此集便以《河岳英靈》爲號。詩二百三十四首〔八〕，分爲上下卷，起甲寅，終癸巳〔九〕。倫次于叙，品藻各冠篇額。如名不副實，才不合道，縱權壓梁、竇，終無取焉。

論曰〔一〇〕：昔伶倫造律，蓋爲文章之本也。是以氣因律而生，節假律而明，才得律而清焉。寧預於詞場，不可不知音律焉。孔聖删《詩》，非代議所及。自漢魏至于晉宋，高唱者十有餘人，然觀其樂府，猶有小失。齊梁陳隋，下品實繁，專事拘忌，彌損厥道。夫能文者匪謂四聲盡要流美，八病咸須避之，縱不拈二〔一一〕，未爲深缺。即"羅衣何飄飄，長裾隨風還"，雅調仍在，況其他句乎？故詞有剛柔，調有高下，但令詞與調合，首末相稱，中間不敗，便是知音。而沈生雖怪，曹王曾無先覺，隱侯言之更遠。璠今所集，頗異諸家，既閑新聲，復曉古體，文質半取，風騷兩挾，言氣骨則建安爲傳，論宮商則太康不逮。將來秀士，無致深憾。

箋　校

〔一〕按，自此句至後"爲知音所痛"，各本皆無，今據《文苑英華》卷七一二所載殷璠序補。又見《文鏡秘府論》南卷《定位》。

〔二〕纂　原作"贊"，據《文鏡秘府論》所載改。

〔三〕銷　《文鏡秘府論》所載作"謗"。

〔四〕野體　《文鏡秘府論》所載無此二字。

〔五〕直語　《文苑英華》作"直致語"。

〔六〕庸　汲本、毛本作"膚"，何校作"庸"。按《文苑英華》、《文鏡秘府論》皆作"膚"。

〔七〕二十四人　《文苑英華》作"三十五人"。按書中所載，實爲二十四人。

〔八〕詩二百三十四首　各本及《文鏡秘府論》均同,《文苑英華》作“一百七十首”。按書中所載,實爲二百三十首。又《宋中興館閣書目》所載《河岳英靈集》亦作二百三十首。

〔九〕癸巳　各本及《文鏡秘府論》均同,《文苑英華》作“乙酉”。

〔一〇〕按《論》二百餘字,汲本、毛本皆不載,何校鈔補。

〔一一〕拈二　原作“拈綴”,各本均同。《文鏡秘府論》南卷《定位》引殷璠《集論》作“拈二”,今據改。説詳本書《〈河岳英靈集〉聲律説探索》。

卷　上

常　建

　　高才而無貴仕[一]，誠哉是言。曩劉楨死於文學，左思終於記室，鮑昭卒於參軍，今常建亦淪於一尉。悲夫！建詩似初發通莊，却尋野徑，百里之外，方歸大道。所以其旨遠，其興僻，佳句輒來，唯論意表。至如“松際露微月，清光猶爲君”，又“山光悦鳥性，潭影空人心”，此例十數句[二]，並可稱警策。然一篇盡善者，“戰餘落日黄，軍敗鼓聲死”，“今與山鬼鄰，殘兵哭遼水”，屬思既苦[三]，詞亦警絶。潘岳雖云能叙悲怨，未見如此章[四]。

箋　校

〔一〕高才而無貴仕　汲本、毛本、叢刊本皆無“而”字。“仕”，汲本、毛本作“士”，當誤；《唐詩紀事》卷三一常建條引殷璠語，此句作“高才而無貴位”，位、仕意近，何校亦作“仕”。

〔二〕此例十數句 "十數",《唐詩紀事》卷三一常建條引殷璠語作"數
　　　十",似以"十數"爲是。

〔三〕屬思既苦 《唐詩紀事》卷三一常建條引殷璠語作"思既邈苦"。

〔四〕未見如此章 《唐詩紀事》卷三一常建條引殷璠語,"章"下有"句
　　　也"二字。

夢太白西峯

夢寐昇九崖,杳藹逢元君。遺我太白岑,寥寥辭垢氛。結宇在星
漢,宴林閑氤氲[一]。簷楹覆餘翠,巾舄生片雲。時往青溪間[二]。
孤亭晝仍曛。松峯引天影,石瀨清霞文。恬目緩舟趣,霽心投鳥
群。春風有搖櫂,潭島花紛紛。

篓　校
〔一〕閑 汲本、毛本、叢刊本作"閉",何校作"閑"。
〔二〕青溪 汲本、毛本作"谿谷",何校作"青溪"。

吊王將軍墓

嫖姚北伐時,深入強千里。戰餘落日黃,軍敗鼓聲死。嘗聞漢飛
將,可奪單于壘。今與山鬼鄰,殘兵哭遼水。

昭君墓

漢宮豈不死,異域傷獨歿。萬里駝黃金,蛾眉爲枯骨。迴車夜出
塞,立馬皆不發。共恨丹青人,墳上哭明月。

江上琴興

江上調玉琴,一絃清一心。泠泠七絃遍,萬木澄幽陰一作音[一]。

能使江月白,又令江水深。始知梧桐枝[二],可以徵黄金。

箋　校

〔一〕陰一作音　叢刊本同。汲本、毛本"陰"作"音",無小注。何校仍作
　　　"陰",並加小注"一作音"。

〔二〕梧　叢刊本作"枯"。

宿王昌齡隱處

清溪深不極,隱處惟孤雲。松際露微月,清光猶爲君。茆亭宿花
影[一],藥院滋苔紋。予亦謝時去,西山鸞鶴群。

箋　校

〔一〕茆　汲本、毛本作"茅",何校作"茆"。

送李十一尉臨溪

泠泠花下琴,君唱渡江吟。天際一帆影,預懸離別心。以言神仙
尉,因致瑶華音。軫起宮商調[一],越聲澄碧林[二]。

箋　校

〔一〕軫起宮　汲本、毛本作"回軫撫",何校作"軫起宮"。

〔二〕聲　汲本、毛本作"溪",何校作"聲"。

閑齋臥疾行藥至山館稍次湖亭二首[一]

旬時結陰霖[二],簷外初白日。齋沐清病容,心魂畏靈室[三]。閑梅
照前户,明鏡悲舊質。同袍四五人,何不來問疾。

行藥至石壁,東風變萌芽。主人門外緑,小隱湖中花。時物堪獨

往，春帆宜別家。辭君爲滄海〔四〕，爛漫從天涯。

箋　校

〔一〕閑齋卧疾行藥至山館稍次湖亭二首　叢刊本“亭”下有“作”字，下
　　　無“二首”字，亦不分篇，通爲一詩。汲本、毛本題同叢刊本，但仍分
　　　列二首。按此二詩韻不同，應以作二首爲是。何校亦謂：“合之則
　　　‘同袍四五人’一聯文義終覺隔礙，不若仍作二篇爲是，古人作詩
　　　章法，大抵數篇自爲首尾，非必一篇即將題目説盡也。宋本《常建
　　　詩集》亦作二篇。”

〔二〕霖　叢刊本作“林”。

〔三〕靈　汲本、毛本作“虚”，何校作“靈”。

〔四〕爲　汲本、毛本、叢刊本作“向”，何校作“爲”。

題破山寺後禪院

清晨入古寺，初日照高林。竹徑通幽處，禪房花木深。山光悦鳥
性，潭影空人心。萬籟此都寂〔一〕，但餘鐘磬音。

箋　校

〔一〕都　汲本、毛本作“俱”，何校作“俱”。

鄂渚招王昌齡張償

刈蘆曠野中，沙上飛黄雲。天晦無精光〔一〕，茫茫悲遠君。楚山隔
湘水，湖畔落日曛。春鴈又北飛，音書固難聞。謫君未爲歎〔二〕，
讒枉何由分。五日逐蛟龍，宜爲吊冤文。翻覆古共然，官宦安足
云〔三〕。貧士任枯槁〔四〕，捕魚清江濆。有時荷鋤犁，曠野自耕耘。

不然春山隱,溪澗花氛氳。山鹿自有場,賢達亦顧君〔五〕。二賢歸去來,世上徒紛紛。

箋　校

〔一〕晦　汲本、毛本、叢刊本作"海",何校作"晦"。莫友芝校謂毛本作"晦",非,實則毛本作"海"。

〔二〕君　汲本、毛本、叢刊本作"居",何校作"君"。按似以作"居"爲是。

〔三〕官　汲本、毛本作"名",何校仍作"官"。

〔四〕枯槁　叢刊本作"祜禍"。

〔五〕君　汲本、毛本、叢刊本皆作"群",何校仍作"君"。按上句謂"山鹿自有場",則此句似應作"群"爲是。

春詞二首

宛宛黃柳絲〔一〕,濛濛雜花垂。日高紅粧臥,倚對春光遲〔二〕。寧知傍淇水,驃裹黃金羈。

翳翳陌上桑,南枝交北堂。美人金梯出,手自提竹筐。非但畏蠶飢,盈盈嬌路傍。

箋　校

〔一〕宛宛　汲本、毛本作"菀菀",何校作"宛宛"。

〔二〕對　叢刊本作"樹"。

古意張公子〔一〕

日出乘釣舟,嫋嫋持釣竿。涉淇傍荷花,驄馬閑金鞍〔二〕。使客白雲中〔三〕,腰間懸鹿盧。出門事嫖姚,爲君西擊胡。胡兵漢騎相馳逐,轉戰孤軍海西北〔四〕。百尺旌竿沉黑雲〔五〕,邊笳落日不堪聞。

箋　校

〔一〕古意張公子　汲本、毛本詩題僅"古意"二字,下注云"集作張公子
　　　行"。何校仍作"古意張公子"。

〔二〕鞍　毛本作"鞭"。

〔三〕使　汲本、毛本作"俠",何校作"使"。

〔四〕北　汲本、毛本作"曲",何校作"北"。

〔五〕黑　叢刊本作"墨"。

仙谷遇毛女意知是秦時宮人

溪口水石淺,泠泠明藥叢。入溪雙峯峻,松栝踈幽風。垂嶺枝嫋
嫋,翳泉花濛濛。夤緣霄人目〔一〕,路盡心彌通。盤石橫陽崖,前
臨殊未窮。迴潭清雲影,瀰漫長天空。水邊一神女,千歲爲玉童。
羽毛經漢代,珠翠逃秦宮。目覿神已寓,鶴飛言未終。祈君青雲
祕,願謁黃仙翁。嘗以耕玉田,龍鳴西頃中。金梯與天接,幾日來
相逢。

箋　校

〔一〕夤　叢刊本作"寅"。

晦日馬鐙曲稍次中流作

夜來宿蘆葦〔一〕,曉色明西林。初日在川上〔二〕,便澄遊子心。晴天
無纖翳,郊野浮春陰。波靜隨釣魚,舟小綠水深。出浦見千里,曠

然諧遠尋。扣船應漁父〔三〕，因唱滄海吟〔四〕。

箋　校

〔一〕來　汲本、毛本、叢刊本作“寒”，何校作“來”。

〔二〕川　叢刊本作“江”。

〔三〕船　汲本、毛本、叢刊本作“舷”，何校作“船”。

〔四〕海　毛本、叢刊本作“浪”，似以作“浪”爲是。

李　白

　　白性嗜酒，志不拘檢，常林栖十數載，故其爲文章，率皆縱逸。至如《蜀道難》等篇，可謂奇之又奇。然自騷人以還，鮮有此體調也。

戰城南

去年戰，桑乾源；今年戰，葱河道。洗兵滌戈海上波〔一〕，放馬天山雪中草。萬里長征戰，三軍盡衰老。胡人以殺戮爲耕作，古來惟見白骨黃沙田。秦家築城備胡處〔二〕，漢家還有烽火燃。烽火燃不息，征戰無已時〔三〕。野戰格鬥死，敗馬號鳴向天悲。烏鳶啄人腸，銜飛上掛枯樹枝〔四〕。士卒塗草莽，將軍空爾爲。乃知兵者是凶器，聖人不得已而用之。

箋　校

〔一〕滌戈　汲本、毛本、叢刊本作“條支”，何校作“滌戈”。

〔二〕備　汲本、叢刊本作“避”，何校“一作備”。

〔三〕征戰　汲本、毛本、叢刊本作“長征”，何校作“征戰”。

〔四〕樹　汲本、毛本、叢刊本作“桑”，何校作“樹”。

遠別離

古有皇英之二女，乃在洞庭之南，瀟湘之浦。海水直下萬里深，人言不深此離苦〔一〕。日慘慘兮雲冥冥，猩猩啼煙兮鬼嘯雨，我縱言之將何補。皇穹竊恐不照予之忠誠〔二〕，雷憑憑兮欲吼怒，堯舜當之亦禪禹。君失臣兮龍爲魚，權歸臣兮鼠變虎〔三〕。堯幽囚，舜野死，九疑聯綿皆相似，重瞳孤憤竟誰是。帝子降兮綠雲間，隨風波兮去無還。慟哭兮遠望，見蒼梧之深山。蒼梧崩，湘水絕，竹上之淚乃可滅。

箋　校

〔一〕人言不深　汲本、毛本作“誰人不言”，何校作“人言不深”。

〔二〕竊　叢刊本作“切”。

〔三〕鼠變虎　汲本作“虎變鼠”，何校仍作“鼠變虎”。又毛本於虎下注云“集有或言二字”。

野田黃雀行

遊莫逐炎洲翠，栖莫近吳宮燕。炎洲逐翠遭網羅，吳宮火起焚爾窠。瀟條兩翅蓬蒿下〔一〕，縱有鷹鸇奈爾何〔二〕。

箋　校

〔一〕瀟　汲本、毛本、叢刊本作“蕭”，何校作“瀟”。

蜀道難

噫吁嚱，危乎高哉！蜀道之難，難於上青天。蠶叢及魚鳧，開國何茫然。爾來四萬八千歲，不與秦塞通人煙。西當太白有鳥道，可以橫絕峨眉巓。地崩山摧壯士死，然後天梯石棧方鈎連〔一〕。上有六龍回日之高標〔二〕，下有衝波逆折之回川。黃鶴之飛尚不得過，猿猱欲度愁攀緣。青泥何盤盤，百步九折縈巖巒。捫參歷井仰脅息，以手撫膺坐長歎。問君西遊何時還〔三〕，畏途巉巖不可攀。但見悲鳥號古木〔四〕，雄飛雌從遶林間。又聞子規啼夜月，愁空山。蜀道之難，難於上青天，使人聽此凋朱顏。連峯去天不盈尺，枯松倒掛倚絕壁。飛湍暴流爭喧豗〔五〕，砯崖轉石萬壑雷。其險也若此〔六〕，嗟爾遠道之人，胡爲乎來哉？劍閣崢嶸而崔嵬，一夫當關，萬人莫開。所守或匪親〔七〕，化爲狼與豺。朝避猛虎，夕避長蛇。磨牙吮血，殺人如麻。錦城雖云樂，不如早還家。蜀道之難，難於上青天，側身西望長咨嗟。

箋　校

〔一〕方　汲本、毛本作“相”，何校作“方”。

〔二〕六龍回日之高標　叢刊本作“橫河斷海之浮雲”。

〔三〕時　叢刊本作“當”。

〔四〕但見悲鳥號古木　叢刊本“鳥”作“烏”，“古”作“枯”。

〔五〕暴　汲本、毛本、叢刊本作“瀑”，何校作“暴”。

〔六〕險　汲本、毛本、叢刊本作“險”，何校作“險”。

〔七〕親　汲本、毛本、叢刊本作“人”，何校作“親”。

行路難

金罍清酒價十千,玉盤珍羞直萬錢。停杯投箸不能食,拔劍四顧心茫然。欲渡黄河冰塞川,將登太行雲暗天。閑來垂釣坐溪上,忽復乘舟落日邊〔一〕。行路難,道安在〔二〕。長風破浪會有時,直掛雲帆濟蒼海〔三〕。

箋　校

〔一〕落　汲本、毛本作"夢",何校作"落"。

〔二〕行路難道安在　汲本此處有小注云:"本集:行路難,行路難,多歧路,今安在。"

〔三〕蒼　汲本、叢刊本作"滄",何校作"蒼"。

夢遊天姥山別東魯諸公

海客談瀛洲,煙波微茫不易求〔一〕。越人話天姥〔二〕,雲霓明滅如何覩。天姥連天向天橫,勢拔五岳掩赤城。天姥四萬八千丈〔三〕,對此絶倒東南傾。我欲冥搜夢吴越〔四〕,一夜飛度鏡湖月。湖月照我影,送我到剡溪。謝公宿處今尚在,綠水蕩漾青猿啼。脚穿謝公屐,明登青雲梯〔五〕。半壁見海月〔六〕,空中聞天雞。千巖萬轉路不定,迷花倚石忽以暝〔七〕。熊咆龍吟殷巖泉,慄深林兮驚層巔。楓青青兮欲雨,水澹澹兮生煙。列缺霹靂,丘巒崩摧。洞天石扉,輷然而中開〔八〕。青冥濛鴻不見底〔九〕,日月照耀金銀臺。霓爲裳兮鳳爲馬〔一〇〕,雲中君兮紛紛而來下。虎鼓琴兮鸞迴車,仙之人兮列如麻。忽魂悸兮目葰,恍驚起而長嗟〔一一〕,惟覺時之枕席,失向來之煙霞。世間行樂皆如是〔一二〕,古來萬事東流水。別君去兮何時還,且放白鹿青崖間,欲行即騎向名山。何能摧眉折腰事權貴,使我不得開心顏[一三]。

箋　校

〔一〕煙波微茫不易求　"波",汲本、毛本作"濤",何校作"波"。"不易",汲本、毛本作"信難",何校作"不易"。

〔二〕話　汲本、毛本、叢刊本作"語",何校作"話"。

〔三〕姥　汲本、毛本作"台",何校作"姥"。

〔四〕冥搜　汲本、毛本作"因之",何校作"冥搜"。

〔五〕明　汲本、毛本作"身",何校作"明"。

〔六〕月　汲本、毛本、叢刊本作"日",何校仍作"月"。

〔七〕以　汲本、毛本作"已",何校作"以"。

〔八〕輶　汲本、毛本作"訇",何校仍作"輶"。

〔九〕濛鴻　汲本、毛本作"浩蕩",何校作"濛鴻"。

〔一〇〕鳳　叢刊本作"風"。

〔一一〕恍驚起而長嗟　"恍",叢刊本作"悅"。"而",汲本、毛本、叢刊本作"兮"。

〔一二〕是　汲本、毛本作"此",何校作"是"。

〔一三〕使我不得開心顏　汲本、毛本、叢刊本皆作"暫樂酒色彫朱顏",而於其下注云:"一作使我不得開心顏。"

憶舊遊寄譙郡元參軍

憶昔洛陽董糟丘,爲余天津橋南造酒樓。黃金白璧買歌笑,一醉累月輕王侯。海內賢豪青雲客[一],就中與君心莫逆[二]。迴山轉海不作難,傾情倒意無所惜。我向淮南攀桂枝,君留洛北愁夢思。

不忍別,還相隨,相隨迢迢訪仙城,三十六曲水迴縈。一溪初入千花明,萬壑度盡松風聲。銀鞍金絡到平地,漢東太守來相迎。紫陽之真人,邀我吹玉笙。湌霞樓上動仙樂,嘈然宛似鸞鳳鳴,袖長管催欲輕舉。漢東太守醉起舞[三],手持錦袍覆我身。我醉橫眠枕其股,當筵意氣凌九霄。星離雨散不終朝,分飛楚關山水遥。余既還山尋故巢,君亦歸家度渭橋[四]。君家嚴君勇貔虎,作尹并州遏戎虜。五月相呼度太行,摧輪不道羊腸苦[五]。行來北京歲月深[六],感君貴義輕黃金。瓊杯綺食青玉案,使我醉飽無歸心。時時出向城西曲,晋祠流水如碧玉。浮舟弄水簫鼓鳴,微波龍鱗莎草綠。興來攜妓恣經過,其若楊花似雪何。紅粧欲醉宜斜日,百尺清潭寫翠蛾。翠蛾嬋娟初月輝[七],美人更唱舞羅衣。清風吹歌入空去,歌曲自繞行雲飛。此時行樂難再遇[八],西遊因獻長楊賦。北闕青雲不可期,東山白首還歸去。渭橋南頭一遇君,酇臺之北又離群。問余別恨今多少[九],落花春暮争紛紛。言亦不可盡,情亦不可極,呼兒長跪緘此辭,寄君千里遥相憶。

箋 校

〔一〕海内　汲本、毛本、叢刊本作"四海",何校作"海内"。

〔二〕就中與君　汲本、毛本、叢刊本作"與君一遇",何校作"就中與君"。

〔三〕漢東太守醉起舞　"東",原作"中"。按前有"漢東太守來相迎"句,此處承前而言,亦應作"東",今據叢刊本改。

〔四〕歸家　汲本、叢刊本作"西歸",何校作"歸家"。

〔五〕摧　叢刊本作"推"。

〔六〕行來北京歲月深　"京"原作"涼"。按王琦李白集注謂上文言并州太行,下文言晉祠,中間忽言北涼不合,北流即張掖郡,唐時在甘州。朱金城《李白集校注》亦謂今所見宋本李白集亦皆作“涼”,《文苑英華》作京北,注云一作“北京”。今參王、朱説,並據汲本、毛本、叢刊本改。

〔七〕翠蛾嬋娟初月輝　汲本、毛本、叢刊本皆無“翠蛾”二字,何校補之。

〔八〕行　汲本、毛本、叢刊本作“歡”,何校作“行”。

〔九〕別恨　汲本、毛本、叢刊本作“恨別”,何校作“別恨”。

詠　懷[一]

莊周夢蝴蝶,蝴蝶爲莊周。一體更變易,萬事良悠悠。乃知蓬萊水,復作清淺流。青門種瓜人,舊日東陵侯[二]。富貴固如此[三],營營何所求。

篋　校

〔一〕詠懷　毛本題下校注云“集作古風”。

〔二〕舊　汲本、毛本、叢刊本作“昔”,何校作“舊”。

〔三〕固　叢刊本作“苟”。

酬東都小吏以斗酒雙鱗見贈[一]

魯酒琥珀色,汶魚紫錦鱗。山東豪吏有俊氣,手攜此物贈遠人。意氣相傾兩相顧,斗酒雙魚表情素。雙鰓呀呷鰭鬣張[二],跋剌銀盤欲飛去[三]。呼兒拂机霜刃揮[四],紅肥花落白雪霏[五]。爲君下箸一餐飽[六],醉著金鞍上馬歸。

篋　校

〔一〕鱗　汲本、毛本、叢刊本皆作“魚”,何校仍作“鱗”。

〔二〕鰭　汲本、毛本、叢刊本作"鬐"，何校仍作"鰭"。

〔三〕跋　汲本、毛本作"蹳"，何校仍作"跋"。

〔四〕机　叢刊本作"几"。

〔五〕肥　汲本、毛本作"腮"，何校仍作"肥"。

〔六〕飽　汲本、毛本、叢刊本作"罷"，何校仍作"飽"。

答俗人問

問予何事栖碧山，笑而不答心自閑。桃花流水杳然去，別有天地
非人間。

古　意

白酒初熟山中歸，黃雞啄黍秋正肥。呼兒烹雞酌白酒〔一〕，兒女歡
笑牽人衣〔二〕。高歌取醉欲自慰，起舞落日爭光輝。遊説萬乘苦
不早，著鞭跨馬涉長道〔三〕。會稽愚婦輕買臣，余亦辭家西入秦。
仰天大笑出門去，我輩豈是蓬蒿人。

箋　校

〔一〕兒　汲本、毛本、叢刊本作"童"，何校作"兒"。

〔二〕歡　汲本、叢刊本作"嬉"，何校作"歡"。

〔三〕長　汲本、毛本、叢刊本作"遠"，何校作"長"。

將進酒

君不見黃河之水天上來，奔流到海不復回。君不見高堂明鏡悲白
髮，朝如青絲暮成雪。人生得意須盡歡，莫使金樽空對月。天生
我材必有用〔一〕，千金散盡還復來。烹羊宰牛且爲樂，會須一飲三

百杯。岑夫子,丹丘生[二],與君歌一曲,請君爲我聽[三]。鍾鼎玉帛不足貴[四],但願長醉不願醒。古來聖賢皆寂寞,唯有飲者留其名。陳王昔時宴平樂[五],斗酒十千恣歡謔。主人何爲言少錢,徑須沽取對君酌[六]。五花馬,千金裘,呼兒將出換美酒,與爾同銷萬古愁。

篓　校

〔一〕材　叢刊本作“才”。

〔二〕丹丘生　汲本、毛本於此句下有“將進酒,君莫停”六字。

〔三〕聽　汲本、毛本於“聽”字上有“傾耳”二字。

〔四〕貴　叢刊本作“悦”。

〔五〕時　汲本、毛本、叢刊本作“日”,何校作“時”。

〔六〕徑須沽取　汲本、毛本、叢刊本作“且須酤酒”,何校仍作“徑須沽取”。

烏棲曲

姑蘇臺上烏棲時,吳王宮裏醉西施。吳歌楚舞歡未畢,青山猶銜半邊日。金壺丁丁漏水多[一],起看秋月墜江波,東方漸高奈爾何。

篓　校

〔一〕金壺丁丁　汲本、毛本作“銀箭金壺”,何校仍作“金壺丁丁”。

王　維

　　維詩詞秀調雅,意新理愜,在泉爲珠[一],著壁成繪,一句一字,皆出常境。至如"落日山水好,漾舟信歸風",又"澗芳襲人衣,山月映石壁","天寒遠山浄,日暮長河急","日暮沙漠陲,戰聲煙塵裏"〔二〕。

箋 校

〔一〕爲　汲本、毛本作"成",何校作"爲"。

〔二〕戰聲煙塵裏　《唐詩紀事》卷十六王維條引殷璠語,此句下有"詎肯慚于古人也"七字。汲本、毛本亦有此,莫友芝臨毛校,謂此"七字又不似殷氏語",莫氏當未查核《唐詩紀事》,以爲是毛氏父子所加。又《唐詩紀事》於"日暮長河急"下又引有"賤日豈殊衆,貴來方悟稀"二句。

西施篇

艷色天下重,西施寧久微。朝仍越溪女〔一〕,暮作吳宮妃。賤日豈殊衆,貴來方悟稀。要人傅香粉,不自着羅衣。君寵益嬌態,君憐無是非。常時浣沙伴,莫得同車歸。寄謝鄰家女〔二〕,效顰安可希。

箋 校

〔一〕仍　汲本作"爲"。

〔二〕謝　毛本作"言"。

偶然作

陶潛任天真,其性頗耽酒〔一〕。自從棄官來,家貧不能有。九月九日時,菊花空滿手。心中竊自思,儻有人送否。白衣攜觴來,果不違老叟。且喜得斟酌,安問升與斗。奮衣野田中,今日嗟無負。

兀傲迷東西，簑笠不能守。傾倒强行行，酣歌歸五柳。生事不曾問，肯愧家中婦。

箋　校

〔一〕頗耽　叢刊本作"躭嗜"。

贈劉藍田[一]

籬間犬迎吠，出屋候荆扉。歲晏輸井稅，山村人夜歸。晚田始家食，餘布成我衣。詎肯無公事，煩君問是非。

箋　校

〔一〕贈劉藍田　何校於題下注云："或刻百家選作盧象。"又見《全唐詩》卷八八二補遺盧象詩，題下注"一作王維詩"。《王右丞集箋注》卷二趙殿成注"此詩亦載盧象集中"。

入山寄城中故人[一]

中歲頗好道，晚家南山陲。興來每獨往，勝事空自知。行到水窮處，坐看雲起時。偶然值林叟，談笑滯還期[二]。

箋　校

〔一〕入山寄城中故人　何校於題下注云："一作終南別業。"
〔二〕滯　汲本、毛本、叢刊本作"無"，何校作"滯"。

淇上別趙仙舟[一]

相逢方一笑，相送還成泣。祖席已傷離，荒城復愁入。天寒遠山淨，日暮長河急。解纜君已遙，望君猶佇立。

〔一〕淇上別趙仙舟　何校於題下注云：“一作齊州送祖三。”《國秀集》
　　　作《河上送趙仙舟》。

春　閨[一]

新粧可憐色，落日捲簾帷。鑪氣清珍簟[二]，牆陰上玉墀。春蟲飛
網户，暮雀隱花枝。向晚多愁思，閑窗桃李時。

箋　校

〔一〕春閨　何校於題下注云：“一作晚春歸思。”又眉批云：“此篇集中
　　　不載。”
〔二〕鑪　叢刊本作“淑”。

寄崔鄭二山人[一]

翩翩京華子，多出金張門。幸有先人業[二]，早蒙明主恩[三]。童年
且未學，肉食騖華軒。豈知中林士，無人薦至尊。鄭生老泉石，崔
子老丘樊[四]。賣藥不二價，著書仍萬言[五]。息陰無惡木，飲水必
清源。余賤不及議，斯人竟誰論。

箋　校

〔一〕寄崔鄭二山人　何校於題下注云：“本集崔皆作霍，題中無寄字。
　　　此乃《濟上四賢詠》之一。”
〔二〕先　汲本作“仙”，何校作“先”。
〔三〕早蒙　汲本、毛本、叢刊本作“思逢”，何校作“早蒙”。
〔四〕老　汲本、毛本、叢刊本作“安”，似是。

息夫人怨〔一〕

莫以今時寵，能忘舊日恩。看花滿眼淚，不共楚王言。

箋　校

〔一〕息夫人怨　汲本於題下注云：“《國秀集》題《息嬀怨》，小異。”

婕妤怨

宮殿生秋草，君王恩幸疎。那堪聞鳳吹，門外度金輿。

漁山神女瓊智祠二首

迎　神

坎坎擊鼓，漁山之下。吹洞簫，望極浦。女巫進，紛屢舞。陳瑶席，湛清酤。風淒淒而夜雨，不知神之來不來，使我心苦。

送　神

紛進拜兮堂前，目眷眷兮瓊筵。來不語兮意不傳，作暮雨兮愁空山。悲急筦，思繁絃，神之駕兮儼欲旋。倏雲消兮雨歇，山青青兮水潺潺。

隴頭吟

長安少年遊俠客，夜上戍樓看太白。隴頭明月迥臨關，隴上行人夜吹笛。關西老將不勝愁，駐馬聽之雙淚流。身經大小百餘戰，麾下偏裨萬戶侯。蘇武纔爲典屬國，節旄落盡海西頭。

少年行

一身能擘兩彫弧,虜騎千重只似無。偏坐金鞍調白羽,紛紛射殺五單于。

初出濟州別城中故人[一]

微官易得罪,謫去濟川陰。執政方持法,明君無此心。閭閻河潤上,井邑海雲深。縱有歸來日,多愁年鬢侵[二]。

箋　校

〔一〕初出濟州別城中故人　何校於題下注云:"唐有齊州,無濟州也。"
〔二〕鬢　叢刊本作"髦"。

送綦毋潛落第還鄉

聖代無隱者,英靈盡未歸[一]。遂令東山客,不得顧採薇。既至君門遠,孰云吾道非。江淮度寒食,京兆縫春衣。置酒臨長道,同心與我違。行當浮桂棹,未幾拂荆扉。遠樹帶行客,孤村當落暉。吾謀適不用,勿謂知音稀。

箋　校

〔一〕未　汲本、毛本、叢刊本作"來",何校作"未"。

劉昚虛

昚虛詩,情幽興遠,思苦詞奇[一],忽有所得,便驚衆聽。

頃東南高唱者十數人〔二〕，然聲律婉態〔三〕，無出其右。唯氣骨不逮諸公。自永明已還，可傑立江表。至如“松色空照水，經聲時有人”，又“滄溟千萬里，日夜一孤舟”，又“歸夢如春水，悠悠繞故鄉”，又“駐馬渡江處，望鄉待歸舟”，又“道由白雲盡，春與清溪長。時有落花至，遠隨流水香。開門向溪路，深柳讀書堂。幽映每白日，清暉照衣裳”，並方外之言也。惜其不永，天碎國寶〔四〕。

箋　校

〔一〕詞　汲本、毛本、叢刊本作“語”，何校本作“詞”。

〔二〕十數人　汲本、叢刊本無“十”字，何校有“十”。

〔三〕婉　汲本、叢刊本作“宛”，何校作“婉”。

〔四〕天碎國寶　汲本、毛本於“天”下有“年隕”二字，《唐詩紀事》卷二五同，則此二句作“惜其不永天年，隕碎國寶”。莫友芝臨毛校，謂增“年隕”二字非。

海上詩送薛文學歸海東〔一〕

日處歸且遠，送君東悠悠。滄溟千萬里，日夜一孤舟。曠望絕國所，微茫天際愁。有時近仙境，不定若夢遊。或見青色石〔二〕，孤山百丈秋〔三〕。前心方杳眇，此路勞夷猶。離別惜吾道，風波敬皇休。春浮花氣遠，思逐海水流。日暮驪歌後，永懷空滄洲。

箋　校

〔一〕海東　汲本作“東海”，何校作“海東”。

〔二〕石　汲本、毛本、叢刊本作“古”，何校作“石”。

送東林廉上人還廬山〔一〕

石溪流已亂，苔徑入漸微。日暮東林下，山僧還獨歸。常爲鑪峯意，況與遠公違。道性深寂寞，世時多是非〔二〕。會尋名山去，豈復無清機。

箋　校

〔一〕按此詩《全唐詩》未列劉眘虛名下，作王昌齡詩（卷一四〇），題同，文字有小異。《文苑英華》卷二一九亦作昌齡詩。

〔二〕時　汲本、毛本作“情”，何校作“時”。

送韓平兼寄郭微

上客夜相過，小童能酤酒。即爲臨水處，正值雁歸後。前路望鄉山，近家見門柳。到時春未暮，風景自應有。余憶東州人，經年別來久。慇懃爲傳語，日夕念攜手。兼問前寄書，書中復達否。

寄閻防防時在終南豐德寺讀書

青暝南山口，君與緇錫鄰。深路入古寺，亂花隨暮春。紛紛對寂寞，往往落衣巾。松色空照水，經聲時有人。晚心復南望，山遠情獨親。應以修往—作德業〔一〕，亦惟此立身〔二〕。深林度空夜，煙月鎖清真。莫歎文明日，彌年從隱淪。

箋　校

〔一〕往—作德　汲本、毛本、叢刊本作“德”，無小注。何校仍作“往”，並有小注與此同。

〔二〕此立　汲本、毛本作“立此”，何校作“此立”。

暮秋揚子江寄孟浩然

木葉紛紛下，東南日煙霜。林山相晚暮，天海空青蒼。暝色空復久〔一〕，秋聲亦何長。孤舟兼微月，獨夜仍越鄉。寒笛對京口，故人在襄陽。詠思勞今夕，漢江遥相望。

箋　校

〔一〕空　汲本、毛本作“况”，何校作“空”。

寄江滔求孟六遺文

南望襄陽路，思君情轉親。偏知漢水廣，應與孟家鄰〔一〕。在日貪爲善，昨來聞更貧。相如有遺草，爲一問家人。

箋　校

〔一〕按此句又見《全唐詩》卷七〇二張蠙《別後寄支生》（題下注一作崔魯詩），尾句或係偶合。

潯陽陶氏別業

陶家習先隱，種柳長江邊。朝夕尋陽縣〔一〕，白衣來幾年。霽雲明孤嶺，秋水澄寒天。物象自清曠，野荷何綿聯〔二〕。蕭蕭丘中賞，明宰非徒然。願守黍稷稅，歸耕東山田。

箋　校

〔一〕尋　叢刊本作“潯”，是，詩題中亦作“潯”。

〔二〕荷　汲本、毛本作“情”,何校作“荷”。

登廬山峯頂寺

孤峯臨萬象,秋氣何高清。庭際南郡出,林端西江明。山門二緇
叟,振錫聞幽聲。心照有無界,業懸前後生。徒知真機静,尚與愛
網并。方首金門路,未遑參道情。

尋東溪還湖中作^{〔一〕}

出山更回首,日暮清溪深。東嶺新别處,數猿叫空林。昔遊初有
迹^{〔二〕},此迹還獨尋^{〔三〕}。幽興方在往,歸懷復爲今。雲峯勞前意,
湖水成遠心。望望已超越,坐鳴舟中琴。

箋　校

〔一〕中　叢刊本作“上”。
〔二〕初有　汲本、毛本作“有初”,何校作“初有”。
〔三〕迹　汲本、毛本、叢刊本作“路”,何校作“迹”。

越中問海客

風雨滄洲暮,一帆今始歸。自云發南海,萬里速如飛。初謂落何
處,永將無所依。冥茫漸西見,山色越中微。誰念去時遠,人經此
路稀。泊舟悲且泣,使我亦沾衣。浮海焉用説,憶鄉難久違。縱
爲魯連子,山路有柴扉。

江南曲

美人何蕩漾,湖上風日長。玉手欲有贈,徘徊雙明璫。歌聲隨緑

水,怨色起青陽[一]。日暮還家望,雲波横洞房。

箋　校

〔一〕色　汲本、叢刊本作"氣",何校作"色"。

張　謂

謂《代北州老翁答》及《湖中對酒行》,並在物情之外[一],
但衆人未曾説耳,亦何必歷遐遐,探古迹,然後始爲冥搜。

箋　校

〔一〕並　叢刊本無"並"字。《唐詩紀事》卷二五張謂條引殷璠語與此
　　　同,有"並"字。

讀後漢逸人傳二首

子陵没已久,讀史思其賢。誰謂潁陽人,千秋如比肩。嘗聞漢皇
帝,曾是曠周旋。名位苟無心,對君猶可眠。東過富春渚,樂此佳
山川。夜卧松下月,朝看江上煙。釣時如有待,釣罷應忘筌。生
事在林壑,悠悠經暮年。于今七里瀨,遺迹尚依然。高臺竟寂寞,
流水空潺湲。

龐公南郡人,家在襄陽里。何處偏來往,襄陽東波是[一]。誓將業
田種,終得保妻子。何言二千石,乃欲勸吾仕。鸛鵲巢茂林,龜鼉
穴深水[二]。萬物從所欲,吾心亦如此。不見鹿門山,朝朝白雲
起。採藥復採樵,優游終暮齒。

〔一〕波　汲本、毛本、叢刊本作“陂”，何校作“波”。

〔二〕黿　汲本、毛本、叢刊本作“黿”，何校作“黿”。

同孫搆免官後登薊樓懷歸作^{〔一〕}

昔在五陵時，年少亦强壯。嘗矜有奇骨，必是封侯相。東走到營州，投身事邊將。一朝去鄉國，十載履亭障。部曲皆武夫，功成不相讓。猶希虜塵動，更取林胡帳。去年大將軍，忽負樂生謗。比別傷士卒，南遷死炎瘴。濩落悲無成，行登薊丘上。長安三千里，日夕西南望。寒沙榆關没，秋水欒河漲。策馬從此辭^{〔二〕}，雲中保閑放。

筬　校

〔一〕懷歸作　汲本、毛本、叢刊本皆無此三字，何校有。

〔二〕辭　毛本作“山”。

贈喬林^{〔一〕}

去年上策不見收，今年寄食仍淹留。羨君有酒能便醉，羨君無錢能不憂。如今五侯不待客，羨君不問五侯宅。如今七貴方自尊，羨君不過七貴門。丈夫會應有知己，世上悠悠何足論。

筬　校

〔一〕按此詩《唐文粹》卷一八、《唐詩紀事》卷二五作張謂詩，《文苑英華》卷二五三、三四〇並載作劉昚虛詩。《全唐詩》卷一九七於張謂名下載此，並注“一作劉昚虛詩”。《全唐詩》卷二五六劉昚虛名下亦載此詩，題下注“一作張謂詩”。又，“林”一作“琳”，《新唐書》卷二二四下有《喬琳傳》，《唐詩紀事》卷五三作“琳”。

湖中對酒作[一]

夜坐不厭湖上月，晝行不厭湖上山。眼前一樽又長滿，心中萬事如等閑。主人有黍百餘石，濁醪數斗應不惜。即今相對不盡歡，別後相思復何益。茱萸灣頭歸路賒，願君且宿黃翁家。風光若此人不醉，參差辜負東園花[二]。

箋　校

〔一〕作　汲本、毛本作“行”，何校作“作”。

〔二〕辜　叢刊本作“孤”。

題長主人壁[一]

世人結交須黃金，黃金不多交不深。縱令然諾暫相許，終是悠悠行路心。

箋　校

〔一〕題長主人壁　汲本、叢刊本於“長”字下有“安”字。

王季友

季友詩[一]，愛奇務險，遠出常情之外。然而白首短褐，良可悲夫！至如《觀于舍人西亭壁畫山水》詩“野人宿在人家少〔二〕，朝見此山謂山曉。半壁仍棲嶺上雲，開簾放出湖中鳥"，甚有新意。

篋　校

〔一〕季友詩　《唐詩紀事》卷二六王季友條引殷璠語，此下有"放蕩"二字。

〔二〕人家少　"人"，汲本、毛本作"山"，何校作"人"。

雜　詩

采山仍采隱，在木不在深〔一〕。持斧事遠遊，固悲匠者心。翳翳青桐枝，樵爨日所侵。樵聲出巖壑，四聽無知音。豈爲鼎下薪，當復堂上琴。鳳鳥久不棲，且與枳棘林。

篋　校

〔一〕木　汲本、毛本作"山"，何校作"木"。

代賀枝令譽贈沈千運〔一〕

相逢問姓名亦存，別時無子今有孫。山上雙松長不改，百家惟有三家村。村南村西車馬道，一宿通舟水浩浩。澗中磊磊十里石，河上游泥種桑麥〔二〕。平坡塚墓皆我親，滿田主人是舊客。舉聲酸鼻問同年，十人七人歸下泉。分手如何更此地，迴頭不去淚潸然〔三〕。

篋　校

〔一〕枝　各本同。何校於此字旁注有"拔"字，蓋疑其複姓賀拔。

〔二〕游　汲本、毛本、叢刊本作"淤"，何校作"游"。

觀于舍人壁畫山水

野人宿在人家少〔一〕，朝見此山謂山曉。半壁仍棲嶺上雲，開簾放
出湖中鳥。獨坐長松是阿誰，再三招手起來遲。于公大笑向予
説，小弟丹青能爾爲。

箋　校

〔一〕人家少　“人”，汲本、毛本、叢刊本作“山”，何校作“人”。

滑中贈崔高士瓘

夫子保藥命，外身保無咎〔一〕。日月不能老，化腸爲筋不。十年前
見君，甲子過我壽。于何今相逢，華髮在我後。近而知其遠，少見
今白首。遙信蓬萊宫，不死世世有。玄石采盈襜，神方祕其肘。
問家惟指雲，愛氣常言酒。攝生固如此，履道當不朽。未能太虚
同〔二〕，願亦天地久。實腹以芝尤，賤體仍芻狗。自勉將勉余，良
藥在苦口。

箋　校

〔一〕保　汲本、毛本作“得”，何校作“保”。

〔二〕虚　汲本、毛本、叢刊本作“玄”，何校作“虚”。

山中贈十四祕書山兄〔一〕

出山祕雲署〔二〕，山木已再春。食我山中藥，不憶山中人。山中誰
余密，白髮日相親。雀鼠晝夜無，知我厨廩貧。有情盡捐棄，土石

爲周身〔三〕。依依舍北松，不厭吾南鄰。夫子質千尋，天澤枝葉新。今以不材壽〔四〕，非智免斧斤。

箋　校

〔一〕按此詩《篋中集》載，題作《寄韋子春》，文字有小異。

〔二〕雲　汲本、毛本、叢刊本作"芸"，何校作"雲"。按題爲贈祕書山兄，唐人習稱祕書省爲芸署，此處似以作芸爲是。

〔三〕周　汲本、毛本作"同"，何校作"周"。

〔四〕今　汲本、毛本作"余"，何校作"今"。

酬李十六岐

鍊丹文武火未成，賣藥販屨俱逃名〔一〕。出谷迷行洛陽道，乘流醉臥滑臺城。城下故人久離怨，一歡適我兩家願。朝飲杖懸沽酒錢，暮飡囊有松花餅〔二〕。于何車馬日憧憧，李膺門館爭登龍。千賓揖對若流水，五經發難如扣鐘。下筆新詩行滿壁，立談古人坐在席。問我草堂有臥雲，知我山儲無檐石。自耕自刈食爲天，如鹿如麛飲野泉。亦知世上公卿貴，且養丘中草木年。

箋　校

〔一〕屨俱逃　三字原爲墨丁，據各本補。

〔二〕餅　汲本、叢刊本作"飯"，何校作"餅"。

陶　翰

歷代詞人，詩筆雙美者鮮矣。今陶生實謂兼之，既多興象，復備風骨，三百年以前，方可論其體裁也。

古塞下曲〔一〕

進軍飛狐北，窮寇勢將變。日落沙塵昏〔二〕，背河更一戰。驊馬黄金勒，雕弓白羽箭。射殺左賢王，歸奏未央殿。欲言塞下事，天子不召見。東出咸陽門，哀哀淚如霰。

箋　校

〔一〕按此詩《唐文粹》卷一二、《唐詩紀事》卷二六、《全唐詩》卷二五九又作王季友詩，《又玄集》卷上、《才調集》卷七、《文苑英華》卷一九七、《唐詩紀事》卷二〇、《唐寫本唐人選唐詩》則皆以陶翰作。

〔二〕沙塵　汲本、毛本、叢刊本作“塵沙”，何校作“沙塵”。

燕歌行

請君留楚調，聽我吟燕歌。家在遼水頭，邊風意氣多。出身爲漢將，正值戎未和。雪中凌天山，冰上度交河。大小百餘戰，封侯竟蹉跎〔一〕。歸來霸陵下，故舊無相過。雄劍委塵匣，空門惟雀羅。玉參遺趙姝，瑤琴付齊娥。昔日不爲樂，時哉今奈何。

箋　校

〔一〕竟　汲本、毛本作“意”。

贈鄭員外

驄馬拂繡裳，按兵遼水陽。西分雁門騎，北逐樓煩王。聞道五軍集，相邀百戰場。風沙暗天起，虜陣森已行。儒服揖諸將，雄謀吞八荒。金門來見謁，朱綬生輝光。數載侍御史，稍遷尚書郎。人生志氣立，所貴功業昌。何必守章句，終年事蒼黄。同時獻賦客，尚在東陵旁。

望太華贈盧司倉[一]

作吏到西華，乃觀三峯壯。削成元氣中，傑出天河上。如有飛動色，不知青冥狀。巨靈安在哉，厥迹猶可望。方此歎行旅[二]，未由飭仙裝[三]。葱朧記星壇，明滅數雲障。良友垂真契，宿心所微尚。敢投歸山吟，霞徑一相訪。

箋　校

〔一〕倉　叢刊本作“食”。按司倉爲官名，疑作“食”誤。

〔二〕歎　汲本、毛本、叢刊本作“顧”，何校作“歎”。

〔三〕未　汲本、毛本作“末”，何校作“未”。

晚出伊闕寄河南裴中丞[一]

退無宴息資，進無當代策。冉冉時歲暮[二]，坐爲周南客。前登闕塞門[三]，永眺伊城陌。長川黯已暮，千里寒氣白。家本渭水西，異日何所適[四]。秉志師禽回[五]，微言祖莊易。一辭林壑間，共繫風塵役。才名忽先進，天邑多紛劇[六]。豈念嘉遁時，依依耦沮溺。

箋　校

〔一〕裴中丞　叢刊本無“中”字。

〔二〕歲　汲本、毛本、叢刊本作“將”，何校作“歲”。

〔三〕闕　汲本、毛本作“關”，何校作“闕”。叢刊本作“聞”。按詩題云

"晚出伊闕"。則此處作"闕"、作"闒"皆可通,作"聞"義不可通,
疑非。

〔四〕何　汲本、毛本作"同",何校作"何"。

〔五〕回　汲本、毛本、叢刊本作"尚",何校作"回"。

〔六〕邑多　汲本、毛本作"道何",何校作"邑多"。

贈房侍御時房公在新安

志人固不羈,與道常周旋。進則天下仰,已之能晏然。褐衣東府
召,執簡南臺先。雄義每特立,犯顏豈圖全。謫居東南遠,逸氣吟
芳荃。適會寥廓趣,清波更貪緣。扁舟入五湖,發纜洞庭前。浩
蕩臨海曲,迢遥濟江壖。徵奇忽忘返,遇興將彌年。乃悟范生智,
足明漁父賢。郡臨新安渚,佳氣此城偏。日夕對層岫,雲霞映晴
川。閑居變秋色〔一〕,偃卧含貞堅。倚伏自相化〔二〕,行藏亦推遷。
君其振羽翮,歲晏將沖天。

箋　校

〔一〕變　汲本、毛本、叢刊本作"戀",何校作"變"。

〔二〕倚　叢刊本作"荷"。

經殺子谷

扶蘇秦帝子,舉代稱其賢。百萬猶在握,可爭天下權。束身就一
劍,壯志皆棄捐。塞下有遺迹,千齡人共傳。疎蕪盡荒草,寂歷空
寒煙。到此空垂淚〔一〕,非我獨潸然。

〔一〕空　汲本、叢刊本作"盡"，何校作"空"。

乘潮至漁浦作

橃舟早乘潮，潮來如風雨。樟亭忽已隱[一]，界峯莫及覩。崩騰心爲失，浩蕩目無主。靨悡浪始聞，漾漾入漁浦。雲景共澄霽，江山相含吐[二]。偉哉造化靈，此事從終古。流沫誠足誡，高歌調易苦。頗因忠信全，客心猶栩栩。

箋　校

〔一〕亭　汲本、毛本、叢刊本作"臺"，何校作"亭"。

〔二〕含　汲本、毛本、叢刊本作"吞"，何校作"含"。

宿天竺寺

松柏亂巖口，山西微徑通。天開一峯見，宮闕生虛空。正殿倚霞壁，千樓摽石叢[一]。夜來猿鳥静，鐘梵寒雲中。岑翠映湖月，泉聲亂溪風。心超諸境外，了與懸解同。明發氣候改[二]，起視長崖東[三]。湖色濃蕩漾，海光漸瞳矓[四]。葛仙迹尚在，許氏道猶崇。獨往古來事，幽懷期二公。

箋　校

〔一〕摽　汲本、毛本、叢刊本作"標"。

〔二〕氣候改　汲本、毛本作"惟改視"，何校仍作"氣候改"。

〔三〕起視　汲本、毛本作"朝日"，何校仍作"起視"。

〔四〕瞳矓　汲本、毛本、叢刊本作"朣朦"。

早過臨淮

夜得三渚風〔一〕，晨過臨淮島。潮中海氣白，城上楚雲早。鱗鱗魚浦帆，莽莽蘆洲草。川路日浩蕩〔二〕，怒焉心如擣〔三〕。且言任倚伏，何暇念枯槁。范子名屢移，蘧公志常保。古人去已久，此理難復道〔四〕。

箋　校

〔一〕得　汲本、毛本、叢刊本作“來”，何校作“得”。

〔二〕日　叢刊本作“白”。

〔三〕怒　叢刊本作“憋”。

〔四〕難復　汲本、毛本、叢刊本作“今難”，何校作“難復”。

出蕭關懷古

驅馬擊長劍，行役至蕭關。悠悠五原上，永眺關河前。北虜三十萬，此中常控弦。秦城亘宇宙，漢帝理旄旃。刁斗鳴不息，羽書日夜傳。五軍計莫就，三策議空全。大漠橫萬里，蕭條絕人煙。孤城當瀚海，落日照祁連。愴然苦寒奏，懷哉式微篇。更悲秦樓月，夜夜出胡天。

李　頎

　　頎詩發調既清，修辭亦秀，雜歌咸善，玄理最長。至如《送暨道士》云：“大道本無我，青春長與君。”又《聽彈胡笳聲》云："幽音變調忽飄灑,長風吹林雨墮瓦。迸泉颯颯飛木末,野鹿呦呦走堂下。"足可歔欷,震蕩心神。惜其偉才,只到黄綬,故其論家[一],往往高於衆作。

箋　校

〔一〕故其論家　汲本、毛本、叢刊本作"故論其數家",《唐詩紀事》卷二十李頎條引殷璠語作"故其論道家"。何校同此宋本。

謁張果老先生

先生谷神者,甲子焉能計。自説軒轅師,于今數千歲。寓遊城郭裏,放浪希夷際[一]。應物雲無心,逢時舟不繫。霞飡斷火粒,野服兼荷製。白雲浄肌膚[二],青松養身世。韜精殊豹隱,鍊質同蟬蜕。忽去不知誰,偶來寧有契。二儀齊壽考,六合隨休憩。彭聃猶嬰孩,松期且微細。嘗聞穆天子,更憶漢皇帝。親屈萬乘尊,將窮四海裔。車徒變草木[三],錦帛招談説。八駿空往來,三山轉虧蔽。吾君咸至德[四],玄老欣來詣。受籙金殿開,清齋玉堂閉。笙歌迎拜首,羽帳崇嚴衛。禁柳垂香爐,宮花拂仙袂。祈年寶祚廣[五],致福蒼生惠。何必待龍髯,鼎成方取濟。

箋　校

〔一〕放浪　汲本、毛本、叢刊本作"浪迹",何校作"放浪"。

〔二〕雲　汲本、毛本、叢刊本作"雪",何校作"雲"。

〔三〕變　汲本作"徧",何校作"變"。

〔四〕咸　汲本、叢刊本作"感",何校作"咸"。

〔五〕祚　叢刊本作"祈"。按此句上已有"祈年"字,此處似當以作"祚"

爲是。

送暨道士還玉清觀

仙宫有名籍,度世吴江濆。大道本無我,青春長與君。十洲俄已
到[一],至理得而聞。明主降黄屋,時人看白雲。空山何窈窕,三
秀日氛氳[二]。此道留書客[三],超遥煙駕分。

箋　校

〔一〕十　汲本、毛本、叢刊本作"中",何校作"十"。

〔二〕三　叢刊本作"巨",疑"三"之形誤。

〔三〕此道　二字原爲墨丁,據汲本、毛本、叢刊本補。何校云"一刻作遂
　　　此"。

東郊寄萬楚

濩落久無用,隱身甘採薇。仍聞薄宦者,還事田家衣。潁水日夜
流,故人相見稀。春山不可望,黄鳥東南飛。濯足豈長往,一樽聊
可依。了然潭上月,適我胸中機。在昔同門友,如今出處非。優
游白虎殿,偃息青瑣闈。且有薦君表,當看攜手歸。寄書不代面,
蘭茝空芳菲。

發首陽山謁夷齊廟[一]

故人已不見[二],喬木竟誰過。寂寞首陽山,白雲空復多。蒼苔歸
地骨,皓首採薇歌。畢命無怨色,成仁其若何[三]。我來入遺廟,
時候微清和。落日吊山鬼[四],迴風吹女蘿。石門正西豁[五],引領
望黄河。千里一飛鳥,孤光東逝波。驅車層城路,惆悵此巖阿。

箋　校

〔一〕發　汲本、毛本、叢刊本作“登”，何校作“發”。

〔二〕故　汲本、叢刊本作“古”，何校作“故”。

〔三〕若　毛本作“壽”。

〔四〕鬼　叢刊本作“霓”。

〔五〕門正　汲本、叢刊本作“崄向”。

題綦毋潛校書所居^{〔一〕}

常稱掛冠吏，昨日歸滄洲。行客暮帆遠，主人庭樹秋。豈伊得天命，但欲爲山遊。萬物我何有，白雲空自幽。蕭條江海上，日夕是丹丘^{〔二〕}。生事本魚鳥，賞心隨去留。惜哉曠微月，欲濟無輕舟。倏忽令人老，相思河水流。

箋　校

〔一〕綦毋潛校書　汲本、毛本無“潛”字，何校補。叢刊本無“校”字。

〔二〕是　汲本、毛本作“見”，何校作“是”。

漁父歌

白頭何老人，蓑笠蔽其身。避世常不仕，釣魚清江濱。浦沙明濯足，山月靜垂綸。寓宿湍與瀨，行歌秋復春。持橈湘岸竹^{〔一〕}，爇火蘆洲薪。綠水飯香稻，青荷包紫鱗。於中還自樂，所欲全吾真。而笑獨醒者，臨流多苦辛。

箋　校

〔一〕橈　汲本、毛本作“竿”，何校作“橈”。

古　意

男兒事長征，生小幽燕客。賭勝馬蹄下，由來輕七尺。殺人莫敢前，鬚如蝟毛磔。黃雲白雪隴底飛，未得報恩不得歸。遼東小婦年十五，慣彈琵琶解歌舞。今爲羌笛出塞聲，使我三軍淚如雨。

送康洽入京進樂府詩[一]

識子十年何不遇，只愛歡遊兩京路。朝吟左氏媧女篇[二]，夜誦相如美人賦。長安春物舊相宜，小苑蒲萄花滿枝。柳色偏濃九華殿，鶯聲醉殺五陵兒。曳裾此夜從何所[三]，中貴由來盡相許。白袷春衫仙吏贈，烏皮隱几臺郎與。新詩樂府唱堪愁，御妓應傳鳷鵲樓。西上雖因長公主，終須一見曲陵侯。

箋　校

〔一〕詩　汲本、毛本作“歌”，何校作“詩”。

〔二〕媧　汲本、毛本作“嬌”，何校作“媧”。

〔三〕夜　汲本、毛本作“日”，何校作“夜”。

送陳章甫

四月南風大麥黃，棗花未落桐陰長。青山朝別暮還見，嘶馬出門思舊鄉。陳侯立身何坦蕩，虬鬚虎眉仍大顙。腹中著書一萬卷，不肯低頭在草莽。東門酤酒飲我曹，心輕萬事如鴻毛。醉臥不知白日暮，有時空望孤雲高。長河浪頭連天黑，津吏停舟渡不得。鄭國遊人未及家，洛陽行子空歎息。聞道故林相識多，罷官昨日今如何。

聽董大彈胡笳聲兼語弄寄房給事

蔡女昔造胡笳聲,一彈一十有八拍。胡人落淚向邊草,漢使斷腸
對歸客。古戍蒼蒼烽火寒,大荒陰沉飛雪白。先拂商絃後角羽,
四郊秋葉驚摵摵。董夫子,通神明,深山竊聽來妖精。言遲更速
皆應手,將往復旋如有情。空山百鳥散還合,萬里浮雲陰且晴。
嘶酸雛鷹失群夜〔一〕,斷絕胡兒戀母聲。川爲靜其波,鳥亦罷其
鳴。烏珠部落家鄉遠,邏逤沙塵哀怨生。幽陰變調忽飄灑,長風
吹林雨墮瓦。迸泉颯颯飛木末,野鹿呦呦走堂下。長安城連東掖
垣,鳳凰池對青瑣門。才高脫略名與利〔二〕,日夕望君抱琴至。

笺　校

〔一〕鷹　汲本、毛本、叢刊本作“雁”,何校作“鷹”。
〔二〕才高　汲本、毛本作“高才”,何校作“才高”。

緩歌行

小來脫身攀貴遊,傾財破產無所憂。暮擬經過石渠署,朝將出入
銅龍樓。結交杜陵輕薄子,謂言可生復可死。一沉一浮會有時,
棄我翻然如脫屣。男兒立身須自強,十年閉户潁水陽。業就功成
見明主,擊鍾鼎食坐華堂。二八蛾眉梳墮馬,美酒清歌曲房
下〔一〕。文昌宮中賜錦衣,長安陌上退朝歸。五侯賓從莫敢視,三
省官僚接者希〔二〕。早知今日讀書是,悔作從前狂俠兒。

箋　校

〔一〕房　叢刊本作“堂”。

〔一〕房　叢刊本作“堂”。
〔二〕接　汲本、毛本、叢刊本作“揖”，何校作“接”。“希”，叢刊本作
　　　“稀”。

鮫人歌

鮫人潛織水底居，側身上下隨龍魚。輕綃文采不可識，夜夜澄波
連月色。有時寄宿來城市，海島青冥無極已。泣珠報恩君莫辭，
今年相見明年期。始知萬族無不有，百尺深泉架户牖。鳥没空山
誰復望，一望雲濤堪白首。

送盧逸人

洛陽爲此别，攜手更何時。不復人間見，秖應海上期。青溪入雲
木，白首卧茅茨。共惜盧敖去，天邊望所思〔一〕。

箋　校

〔一〕望所　叢刊本作“所望”。

野老曝背

百歲老翁不種田，唯知曝背樂殘年。有時捫虱獨搔首，目送歸鴻
籬下眠。

高　適

適性拓落〔一〕，不拘小節，恥預常科，隱迹博徒，才名自

遠。然適詩多胸臆語,兼有氣骨,故朝野通賞其文。至如《燕歌行》等篇,甚有奇句,且余所愛者[二],"未知肝膽向誰是,令人却憶平原君",吟諷不厭矣[三]。

箋　校

〔一〕適性拓落　"適"下原有墨丁,汲本、毛本此兩處作"常侍",叢刊本作"評事"。《唐詩紀事》卷二三高適條引殷璠語,"適"下即接"性"字,今從之。

〔二〕余所愛者　汲本、叢刊本"所"下有"最深"二字。

〔三〕吟諷不厭矣　汲本、叢刊本無此五字,何校補之。

哭單父梁九少府

開篋淚沾臆,見君前日書。夜臺今寂寞,猶是子雲居[一]。疇昔貪靈奇,登臨賦山水。同舟南楚下,望月西江裏。契闊多別離,綢繆到生死。九泉知何在,萬事皆如此。晋山徒嵯峨,斯人已冥冥。常時禄且薄,没後家復貧。妻子在遠道,兄弟無一人。十上多苦辛,一官恒自哂。青雲將可致[二],白日忽西盡。唯獨身後名,空留無遠近。

箋　校

〔一〕按以上四句又見《全唐詩》卷二七《涼州歌》,佚名,《樂府詩集》卷七九同。

〔二〕可　叢刊本作"何"。

宋中遇陳兼

常參鮑叔義[一],所期王佐才。如何守苦節,獨自無良媒。離別十

年内,飄颻千里來。誰知罷官後[二],唯見柴門開。窮巷隱東郭,
高堂詠南陔。籬根長花草,井口生莓苔。伊昔望霄漢,于今倦蒿
萊。男兒須達命,且醉手中杯。

箋　校

〔一〕參　汲本、毛本作"忝",何校作"參"。

〔二〕誰　汲本、毛本、叢刊本作"安",何校作"誰"。

宋　中

梁苑白日暮,梁山秋草時[一]。君王不可見,脩竹令人悲。九月桑
葉落,寒風鳴樹枝。

箋　校

〔一〕山　叢刊本作"園",似是。

九日酬顧少府

簷前白日應可惜,籬下黃花爲誰有。客子迎霜未授衣,主人得錢
肯酤酒[一]。蘇秦憔悴時多厭,蔡澤栖遲世看醜。縱使登高只斷
腸,不如獨坐空搔首[二]。

箋　校

〔一〕肯　汲本、毛本作"始",何校作"肯"。

〔二〕坐　叢刊本作"自"。

見薛大臂鷹作[一]

寒楚十二月,蒼鷹八十毛[二]。寄言燕雀莫相啅,自有雲霄萬里高。

〔一〕按此詩又見《全唐詩》卷一八三李白詩《觀放白鷹二首》之二，瞿蜕
　　園、朱金城《李白集校注》卷二四載爲李白詩，引詹鍈説則以爲應
　　屬高適。

〔二〕十　汲本、毛本作“九”，何校作“十”。

酬岑主簿秋夜見贈

舍下螿亂鳴，居然自蕭索。緬懷高秋興，忽枉清夜作。感物我心
勞，涼風生二毛。池空菡萏死[一]，月上一作出梧桐高[二]。如何異
州縣，復得交才彦。汩没嗟後時，蹉跎恥相見。箕山別來久[三]，
魏闕誰不戀。獨有江海心，悠悠未嘗倦。

箋　校

〔一〕空　汲本、毛本、叢刊本作“枯”，何校作“空”。

〔二〕月上一作出　汲本、毛本、叢刊本無小注，何校補之。

〔三〕箕　汲本、毛本、叢刊本作“南”，何校作“箕”。

送韋參軍

二十解書劍，西遊長安城。舉頭望君門，屈指取一作數公卿[一]。
國風冲融邁三五，朝廷歡樂彌寰宇。白璧皆言賜近臣，布衣不得
干明主。歸來洛陽無負郭，東過梁宋非吾土。兔苑爲農歲不登，
雁池垂釣心常苦。世人遇我同衆人，唯君於我情相親。且喜百年
有交態，未曾一日辭家貧。彈棊擊筑白日晚[二]，縱酒高歌楊柳
春。歡娱未盡分散去，使我惆悵驚心神。終當不作兒女別[三]，臨
歧涕淚沾衣巾。

封丘作

我本漁樵孟諸野，一生自是悠悠者。乍可狂歌草澤中，寧堪作吏
風塵下。只言小邑無所爲，公門百事皆有期。拜迎長官心欲碎，
鞭撻黎庶令人悲。悲來向家問妻子，舉家盡笑今如此。生事應須
南畝田，世情付與東流水[一]。夢想舊山安在哉，爲銜君命日遲
迴。早知梅福徒爲爾，轉憶陶潛歸去來。

邯鄲少年遊[一]

邯鄲城南遊俠子，自矜生長邯鄲裏。千場縱博家仍富，數處報讎
身不死[二]。宅中歌笑日紛紛，門外車馬屯如雲[三]。未知肝膽向
誰是，令人却憶平原君。君不見即今交態薄，黃金用盡還踈索。
以兹歎息辭舊遊[四]，更於時事無所求。且與少年飲美酒，往來射
獵西山頭。

〔三〕屯如雲　汲本、毛本作“如雲屯”，何校作“屯如雲”。

〔四〕歎息　汲本、叢刊本作“感歎”，何校作“歎息”。

燕歌行并序

　　開元二十六年〔一〕，客有從元戎出塞而還者〔二〕，作《燕歌行》以示適，感征戍之事，因而和焉。

漢家煙塵在東北，漢將辭家破殘賊。男兒本自重橫行，天子非常賜顏色〔三〕。摐金伐鼓下榆關，旌旆逶迤碣石間。校尉羽書飛瀚海，單于獵火照狼山。山川蕭條極邊土，胡騎憑陵雜風雨。戰士軍前半死生，美人帳下猶歌舞。大漠窮秋塞草腓，孤城落日鬪兵稀。身當恩遇常輕敵〔四〕，力盡關山未解圍。鐵衣遠戍辛勤久，玉筯應啼別離後。少婦城南欲斷腸，征人薊北空迴首。邊庭飄飄那可度〔五〕，絕域蒼茫無所有〔六〕。殺氣三時作陣雲，寒聲一夜傳刁斗。相看白刃血紛紛，死節從來豈顧勳。君不見沙場征戰苦，至今猶憶李將軍〔七〕。

箋　校

〔一〕二十六年　叢刊本無“二”字，誤。

〔二〕元戎　汲本、毛本、叢刊本作“御史張公”，何校作“元戎”。

〔三〕賜　汲本、毛本、叢刊本作“借”，何校作“賜”。

〔四〕常　汲本作“還”，何校作“常”。

〔五〕庭　汲本、毛本作“風”，何校作“庭”。

〔六〕茫　汲本、叢刊本作“黃”，何校作“茫”。

〔七〕李將軍　叢刊本此下有注云：“一作邊風。”

行路難

君不見富家翁，舊時貧賤誰比數，一朝金多結豪貴，百事勝人健如虎。子孫生長滿眼前，妻能管絃妾能舞。自矜一朝忽如此，却笑傍人獨愁苦。東鄰少年安所如，席門窮巷出無車。有才不肯學干謁，何用年年空讀書。

塞上聞笛^{〔一〕}

胡人羌笛戍樓間，樓上蕭條明月閑。借問梅花何處落，風吹一夜滿關山。

箋　校
〔一〕按此詩《國秀集》題作《和王七玉門關聽吹笛》，《文苑英華》卷二一二亦作高適詩。《才調集》卷一載宋濟作，《全唐詩》卷四七二同。

營州歌

營州少年愛原野^{〔一〕}，狐裘蒙茸獵城下。虜酒千杯不醉人^{〔二〕}，胡兒十歲能騎馬。

箋　校
〔一〕愛　汲本、毛本、叢刊本作“厭”，何校作“愛”。
〔二〕杯　汲本、毛本作“鍾”，何校作“杯”。

岑　參

　　參詩語奇體峻，意亦奇造[一]。至如"長風吹白茅，野火燒枯桑"，可謂逸矣[二]。又"山風吹空林，颯颯如有人"，宜稱幽致也。

箋　校

〔一〕奇造　汲本、毛本、叢刊本作"造奇"，何校作"奇造"。

〔二〕矣　汲本、毛本、叢刊本作"才"，何校作"才"。

終南雙峯草堂作

斂跡歸山田，息心謝時輩。晝還草堂臥，但與雙峯對。興來資佳遊，事愜符勝概。著書高窗下，日夕見城內。曩爲世人誤，遂負平生愛。久與林壑辭，及來杉松大。偶兹近精廬，數預名僧會。有時逐樵漁[一]，盡日不冠帶[二]。崖口上新月，石門破蒼藹。色向群木深，光搖一潭碎。緬懷鄭生谷，頗憶嚴子瀨。勝事猶可追[三]，斯人邈千載。

箋　校

〔一〕樵漁　叢刊本作"漁樵"。

〔二〕盡　汲本、毛本、叢刊本作"永"，何校作"盡"。

〔三〕猶　汲本、毛本、叢刊本作"獨"，何校作"猶"。

終南雲際精舍尋法澄上人不遇歸
高冠東潭石淙秦嶺微雨作貽友人[一]

昨夜雲際宿,適從西峯迴[二]。不見林中僧,微雨潭上來。諸峯皆晴翠[三],秦嶺獨不開。石鼓有時鳴,秦王安在哉。水潀斷山口,吼沫相喧豗。噴壁四時雨,傍村終日雷。北瞻長安道,日夕生塵埃[四]。若訪張仲蔚,衡門應蒿萊。

箋　校

〔一〕石淙　汲本、毛本此下有"望"字,何校删之。
〔二〕適　汲本、毛本作"旦",何校作"適"。"峯",毛本、叢刊本作"嶺"。
〔三〕晴　汲本、毛本作"青",何校作"晴"。
〔四〕生　汲本、毛本、叢刊本作"坐",何校作"生"。

戲題關門

來亦一布衣,去亦一布衣。羞見關城吏,還從舊路歸。

觀釣翁

扁舟滄浪叟,心與滄浪清。不自道鄉里,無人知姓名。朝從灘上飯,暮向蘆中宿。歌竟還復歌,手持一竿竹。竿頭釣絲長丈餘,鼓枻乘流無定居。世人那得解深意,此翁取適非取魚。

茂葵花歌[一]

昨日一花開,今日一花開。今日花正好,昨日花已老[二]。人生不得長少年,莫惜床頭沽酒錢。請君有錢向酒家[三],君不見茂葵花。

箋　校

〔一〕按此詩又見《文苑英華》卷三二三、《全唐詩》卷二五六,作劉眘虛詩,題下注"一作岑參詩"。

〔二〕昨日花已老　汲本、毛本、叢刊本此下有"始知人老不如花,可惜落花君莫掃"二句。

〔三〕請君有錢向酒家　叢刊本無"請君"二字。

偃師東與韓撙同訪景雲暉上人即事[一]

山陰老僧解楞伽,潁陽歸客遠相過。煙深草濕昨夜雨,雨後秋風度漕河。空山終日塵事少,平郊遠見行人小。尚書磧上黃昏鐘,別駕渡頭一歸鳥。

箋　校

〔一〕撙　汲本、毛本、叢刊本作"樽",何校作"撙"。

春　夢

洞房昨夜春風起,遥憶美人湘江水。枕上片時春夢中,行盡江南數千里。

卷 下

崔 顥

　　顥少年爲詩[一],屬意浮艷[二],多陷輕薄[三],晚節忽變常體,風骨凜然,一窺塞垣,説盡戎旅。至如"殺人遼水上,走馬漁陽歸。錯落金瑣甲,蒙茸貂鼠衣",又"春風吹淺草,獵騎何翩翩。插羽兩相顧,鳴弓新上絃"[四],可與鮑照、江淹並驅也[五]。

篓　校

〔一〕少年　汲本、毛本、叢刊本作"年少",何校作"少年"。

〔二〕屬意浮艷　汲本、毛本、叢刊本無此四字,何校與《唐詩紀事》卷二一崔顥條引殷璠語有之。

〔三〕多　汲本、毛本、叢刊本作"名",何校作"多"。

〔四〕新上　叢刊本作"上新"。

〔五〕可與鮑照江淹並驅也　《唐詩紀事》卷二一崔顥條引殷璠語作"鮑

照江淹須有慙色”。

贈王威古

三十羽林將,出身常事邊。春風吹淺草,獵騎何翩翩。插羽兩相顧,鳴弓新上絃[一]。射麋入深谷,飲馬投荒泉。馬上共傾酒,野中聊割鮮。相看未及醉,雜虜寇幽燕。烽火去不息,胡山高際天。長驅救東北,戰解城亦全。報國行赴難,古來皆共然。

箋　校

〔一〕新上　汲本、毛本、叢刊本作“上新”,何校作“新上”。

古遊俠呈軍中諸將[一]

少年負膽氣,好勇復知機。扙劍出門去[二],孤城逢合圍。殺人遼水上,走馬漁陽歸。錯落金瑣甲,蒙茸貂鼠衣。還家行且獵[三],弓矢速如飛。地迥鷹犬疾,草深狐兔肥。腰間帶兩綬,轉眄生光輝[四]。顧謂今日戰,何如隨建威。

箋　校

〔一〕按詩題,《國秀集》《又玄集》無“呈軍中諸將”五字。

〔二〕扙　汲本、毛本、叢刊本作“杖”,何校作“扙”。

〔三〕行且　叢刊本作“且行”。

〔四〕眄　叢刊本作“盼”。

送單于裴都護

征馬去翩翩[一],秋城月正圓。單于莫近塞,都護欲臨邊[二]。漢驛通煙火,胡沙乏水泉。功成須獻捷,未必去經年。

箋　校

〔一〕去　汲本、毛本作"出",何校作"去"。

〔二〕臨　叢刊本作"回"。

江南曲

君家定何處,妾住在橫塘。停船暫借問,或可是同鄉。

贈懷一上人

法師東南秀,世實豪家子。削髮十二年,誦經羑眉裏。自此照群
蒙,卓然爲道雄。觀生盡歸妄,悟有皆成空。洗意無衆染,若心歸
妙宗〔一〕。一朝勑書至,召入承明宮。説法金殿裏,焚香清禁中。
傳燈遍都邑,杖錫遊王公。天子揖妙道,群僚趨下風。我本法無
着,時來出林壑。因心得化域〔二〕,隨病皆與藥。上啓黃屋心,下
除蒼生縛。一從入君門,説法無朝昏。帝作轉輪王〔三〕,師爲持戒
尊。軒風灑甘露,佛雨生慈根。但有滅度理,而無開濟恩。復聞
江海曲,好殺成風俗。帝曰我上人,爲除羶腥欲。是日發西秦,東
南至蘄春。風將衡桂接,地與吳楚鄰。舊少清信士,實多漁獵人。
一聞吾師至,捨網江湖濱。作禮懺前惡,潔誠期後因。因成日既
久,事濟身不守。更出淮楚間,復來荊河口。荊河馬卿岑,兹地近
道林。入講鳥常狎,坐禪獸不侵。都非緣未盡,曾是教所任。故
我一來事,永永微妙音〔四〕。竹房見衣鉢,松宇清身心。早悔業志
淺,晚成計可尋。善哉遠公義〔五〕,清净如黃金。

箋　校

〔一〕若　汲本、毛本、叢刊本作"苦"，何校作"若"。

〔二〕域　汲本、毛本作"城"，何校作"域"。

〔三〕王　汲本、毛本、叢刊本作"主"，何校作"王"。

〔四〕永永　汲本、毛本作"永承"，何校作"永永"。

〔五〕遠　汲本、叢刊本作"達"。

結定襄獄效陶體[一]

我在河東時，使往定襄里。定襄諸小兒，諍訟紛城市。長老莫敢言，太守不能理。謗書盈几案，文墨相填委。牽引肆中翁，追呼田家子。我來折此獄，五一作師聽辨疑似[二]。小大必以情，未嘗施鞭箠。是時三月暮，遍野農桑起。里巷鳴春鳩，田園引流水。此鄉多雜俗，戎夏殊音旨[三]。顧問邊塞人，勞情曷云已。

箋　校

〔一〕按汲本、毛本題作《結定襄郡獄》，叢刊本作《定襄陽郡獄》。

〔二〕五一作師　汲本、毛本、叢刊本作"師"，無注，何校同此宋本。

〔三〕殊　毛本作"多"。

遼　西

燕郊芳歲晚，殘雪凍邊城。四月青草合，遼陽春水生。胡人正牧馬，漢將日徵兵。露重寶刀濕，沙虛金甲鳴。寒衣着已盡，春服誰爲成[一]。寄語洛陽使，爲傳邊塞情。

〔一〕誰爲　毛本作"爲誰"。

孟門行

黄雀銜黄花,翩翩傍簷隙。本擬報君恩〔一〕,如何返彈射。金罍美酒滿座春,平原愛才多衆賓。滿堂盡是忠義士,何意得有讒諛人。諛言翻覆那可道,能令君心不自保。北園新栽桃李枝,根株未固何轉移。成陰結子君自取,若一作借問傍人那得知。

箋　校
〔一〕本　毛本作"未"。

霍將軍篇

長安甲第高入雲,誰家居住霍將軍。日晚朝迴擁賓從,路傍揖拜何紛紛。莫言炙手手不熱〔一〕,須臾火盡灰亦滅。莫言貧賤即可欺,人生富貴自有時。一朝天子賜顔色,世事一作上悠悠應自一作始知。

箋　校
〔一〕不　汲本、毛本、叢刊本作"可",何校作"不"。

鴈門胡人歌

高山代郡接東燕〔一〕,鴈門胡人家近邊。解放胡鷹逐塞鳥,能將代馬獵秋田。山頭野火寒多燒〔二〕,雨裏孤峯濕作煙〔三〕。聞道遼西無鬬戰〔四〕,時時醉向酒家眠。

〔一〕接東　汲本、毛本作“東接”，何校作“接東”。

〔二〕寒　汲本、毛本、叢刊本作“閑”。

〔三〕雨　汲本、毛本作“霧”。

〔四〕鬪戰　毛本作“戰鬪”。

黄鶴樓

昔人已乘白雲去，此地空遺黄鶴樓〔一〕。黄鶴一去不復返，白雲千載空悠悠。晴川歷歷漢陽樹〔二〕，春草萋萋鸚鵡洲。日暮鄉關何處在〔三〕，煙波江上使人愁。

箋　校

〔一〕此　毛本作“兹”。“遺”，汲本作“餘”，何校作“遺”。

〔二〕樹　毛本作“戍”。

〔三〕在　汲本、毛本作“是”，何校作“在”。

薛　據

　　據爲人骨鯁，有氣魄〔一〕，其文亦爾。自傷不早達，因著《古興》詩云：“投珠恐見疑，抱玉但垂泣。道在君不舉，功成歎何及。”怨憤頗深。至如“寒風吹長林，白日原上没”，又“孟冬時暑短〔二〕，日盡西南天”，可謂曠代之佳句也。

〔一〕有氣魄　《唐詩紀事》卷二五薛據條引殷璠語，"有"上有"兼"字。

〔二〕孟　《唐詩紀事》引作"窮"。

古　興

日中望雙闕〔一〕，軒蓋揚飛塵。鳴佩初罷朝〔二〕，自言皆近臣。光華滿道路，意氣安可親。歸來宴高堂，廣筵羅八珍。僕妾盡紈綺，歌舞夜達晨。四時自相代〔三〕，誰能分要津〔四〕。已看覆前車，未見易後輪。丈夫須兼濟，豈得樂一身〔五〕。君今皆得志，肯顧憔悴人。

箋　校

〔一〕雙　叢刊本作"仙"。

〔二〕佩　汲本、叢刊本作"珮"，何校作"佩"。

〔三〕自　叢刊本作"固"。

〔四〕分　汲本、毛本作"久"，何校作"分"。

〔五〕得　汲本、毛本、叢刊本作"能"，何校作"得"。

初去郡齋書情〔一〕

蕭徒辭汝潁，懷古獨悽然。尚想文王化，猶思巢父賢。時移多讒巧，大道竟誰傳。況見疾風起，悠悠旌斾懸。征鴻無返翼，歸流不停川。已經霜露下〔二〕，仍驗松柏堅。迴首望城邑，迢迢間雲煙。志士不傷物，小人皆自妍。感時惟責己，在道非怨天。從此適樂土，東歸得幾年。

〔一〕情　汲本、毛本作"懷"，何校作"情"。

〔二〕露　汲本、毛本、叢刊本作"雪"，何校作"露"。

落第後口號

十五能文西入秦，三十無家作路人。時命不將明主合，布衣空惹洛陽塵一本作綦毋潛詩[一]。

箋　校

〔一〕一本作綦毋潛詩　汲本有此小注，毛本、叢刊本無。按《文苑英華》卷二九二、《唐詩紀事》卷二〇、《全唐詩》卷一三五並作綦毋潛詩，題《早發上東門》。

題丹陽陶司馬廳[一]

高鑒清洞徹，儒風人進難[二]。詔書增寵命，才子益能官。門帶山光晚，城臨江水寒。唯余好文客[三]，時得詠幽蘭。

箋　校

〔一〕司馬廳　汲本、毛本"廳"下有"壁"字，何校無。

〔二〕按此二句，除末字"難"外，原皆爲墨丁，據各本補。

〔三〕余　汲本、毛本作"餘"，何校作"余"。

冬夜寓居寄儲太祝[一]

自爲洛陽客，夫子吾知音。愛義能下士[二]，時人無此心。奈何離居夜，巢鳥飛空林。愁坐至月上，復聞南鄰砧。

〔一〕按此詩又見《唐詩紀事》卷二〇、《全唐詩》卷一三五,作綦毋潛詩。
　　　此詩及前《落第後口號》皆應屬薛據,詳參佟培基《薛據生平及其
　　　作品考》(《中華文史論叢》一九八三年第一輯)。
〔二〕義　毛本作"我"。

懷哉行

明時無廢人,廣厦無棄材。良工不我顧,有用寧自媒。懷策望君
門,歲晏空遲迴。秦城多車馬,日夕飛塵埃。伐鼓千門啓,鳴珂雙
闕來。我聞雷施天[一],天澤罔不該[二]。何意斯人徒,棄之如死
灰。主好臣必效,時禁權必開。俗流實驕矜[三],得志輕草萊。文
王賴多士,漢帝資群才。一言並拜將,片善咸居台[四]。夫君何不
遇,爲泣黃金臺。

箋　校

〔一〕施天　汲本、毛本、叢刊本作"雨施",何校作"施天"。
〔二〕澤　原爲墨丁,據汲本、毛本、叢刊本補。
〔三〕俗流　毛本作"流俗"。
〔四〕善咸　毛本作"言成"。

泊鎮澤口[一]

日落草木陰,舟徒泊江汜。蒼茫萬象開,合沓聞風水。泂沿值漁
翁,窈篠逢樵子。雲開天宇静,月明照萬里。早鴈湖上飛,晨鐘海
邊起。獨坐嗟遠遊,登岸望孤洲。零落星欲盡,朣朦氣漸收。行
藏空自秉,智誠仍未周[二]。伍胥既伏劍,范蠡亦乘流、歌竟鼓楫

去,三江多客愁。

篋　校

〔一〕鎮　汲本、叢刊本作“震”,何校作“鎮”。

〔二〕誠　汲本、毛本、叢刊本作“識”,何校作“誠”。

西陵口觀海

浙江漫湯湯[一],近海勢彌廣。在昔胚混凝,融爲百川長[二]。地形失端倪,天色潛淲瀁[三]。東南際萬里,極目遠無象。山影乍浮沉,潮波忽來往。孤帆或不見,棹歌猶嚮像[四]。日暮長風起,客心空振蕩。浦口霞未收,潭心月初上。林嶼幾邅迴,亭皋時偃仰。歲晏訪蓬瀛,真遊非外獎。

篋　校

〔一〕浙　汲本、毛本、叢刊本作“長”,何校作“浙”。

〔二〕長　汲本、毛本、叢刊本作“決”,何校作“長”。

〔三〕潛淲　叢刊本作“淲洸”。

〔四〕嚮　汲本、毛本作“想”,何校作“嚮”。

登秦望山

南登秦望山,目極大海空。朝陽半蕩谷[一],晃朗天水紅。溪壑爭噴薄,江湖遞交通[二]。而多漁商客,不悟歲月窮。振緡迎早潮,弭棹候遠風。予本萍泛者,乘流任西東。茫茫天際帆,栖泊何時同。將尋會稽迹,從此訪任公。

〔一〕谷　汲本、毛本、叢刊本作"漾"，何校作"谷"。

〔二〕遞　毛本作"適"。

出青門往南山下別業

舊居在南山，凤駕自城闕。榛莽相蔽虧，去爾漸超忽。散漫餘雪晴，蒼茫季冬月。寒風吹長林，白日原上没。懷抱曠莫伸，相知阻胡越。弱年好棲隱，鍊藥在巖窟。及此離垢氛，興來亦因物。末路期赤松，斯言庶不伐。

綦毋潛

　　潛詩屹崒峭蒨足佳句，善寫方外之情。至如"松覆山殿冷"，不可多得，又"塔影掛清漢，鐘聲和白雲"，歷代未有。荆南分野，數百年來，獨秀斯人[一]。

箋　校

〔一〕按《唐詩紀事》卷二〇綦毋潛條引殷璠語，與此頗有不同，今引録如下：拾遺詩舉體清秀，蕭蕭跨俗，桑門之說，于己獨能。至如"松覆山殿冷"，不可多得，又"鐘聲和白雲"，歷代少有。借使若人加氣質，減彫飾，則高視三百年之外也。

春泛若耶

幽意無斷絕，此去隨所偶。晚風吹行舟，花路入溪口。際夜轉西墾,隔山望南斗。潭煙飛溶溶,林月低向後〔一〕。生事且瀰漫,願爲持竿叟。

箋　校

〔一〕月　叢刊本作“風”。

題招隱寺絢公房

開士度人久,空山花霧深。徒知宴坐處,不見有爲心。蘭若門對墾,田家路隔林。還言澄法性,歸去比黃金。

題鶴林寺〔一〕

道門隱形勝,向背臨層霄。松覆山殿冷,花藏溪路遥。珊珊寶幡掛,焰焰明燈燒。遲日半空谷,春風連上潮。少憑水木興,暫添身心調。願謝攜手客,兹山禪侶饒〔二〕。

箋　校

〔一〕按此詩又見《唐文粹》卷一七、《全唐詩》卷二五三,作薛據詩。

〔二〕侶　叢刊本作“誦”。

題靈隱寺山頂院

招提此山頂,下界不相聞。塔影掛清漢,鐘聲和白雲〔一〕。觀空静室掩,行道衆香焚。且駐西來駕,人天日未曛。

箋　校

〔一〕和　汲本、毛本作“扣”,何校作“和”。

送儲十二還莊城

西坂何繚繞,青林問子家。天寒噪野雀,日晚度城鴉。寂歷道傍樹,曈曨原上霞。兹情不可説,長恨隱淪睠。

若耶溪逢孔九

相逢此溪曲,勝託在煙霞。潭影竹裏動,巖陰簪際斜。人言上皇代,犬吠武陵家。借問淹留日,春風滿若耶。

孟浩然

　　余嘗謂禰衡不遇,趙壹無禄,其過在人也。及觀襄陽孟浩然罄折謙退〔一〕,才名日高,天下籍甚〔二〕,竟淪落明代,終於布衣,悲夫! 浩然詩、文彩丰茸,經緯綿密,半遵雅調,全削凡體。至如"衆山遥對酒,孤嶼共題詩",無論興象,兼復故實。又"氣蒸雲夢澤,波動岳陽城"〔三〕,亦爲高唱。《建德江宿》云:"移舟泊煙渚,日暮客愁新。野曠天低樹,江清月近人。"〔四〕

箋　校

〔一〕罄　原作"聲",據汲本、毛本、叢刊本改。

〔二〕甚　毛本、叢刊本作"臺"。按似以作"甚"爲是。

〔三〕動　毛本作"撼"。

〔四〕按"建德江宿"以下二十五字,汲本、毛本、叢刊本無。

過景空寺故融公蘭若

池上青蓮宇,林間白馬泉。故人成異物,過憩獨潸然[一]。既禮新松塔[二],還尋舊石筵。平生竹如意,猶掛草堂前。

箋　校

〔一〕憩　汲本、毛本作"客",何校作"憩"。

〔二〕松　毛本、叢刊本作"墳"。

過融上人蘭若[一]

山頭禪室掛僧衣,窗外無人越一作溪鳥飛[二]。黃昏半在下山路,却聽松聲戀翠微[三]。

箋　校

〔一〕融上人　毛本"融"字空格,叢刊本亦無"融"字。按此詩又見《唐詩紀事》卷二〇、《全唐詩》卷一三五,作綦毋潛詩。

〔二〕越　汲本、毛本作"溪",無校語;叢刊本作"越",亦無校語。

〔三〕聯　汲本、毛本作"戀",何校作"聯"。

裴司士見尋[一]

府僚能枉駕,家醞復新開。落日池上酌,清風松下來。厨人具雞黍,稚子摘楊梅。誰道山翁醉[二],猶能騎馬迴。

箋　校

〔一〕按汲本、毛本、叢刊本題作《裴司户員司士見答》,何校同此宋本。

〔二〕翁　毛本作"公"。

永嘉上浦館逢張子容〔一〕

逆旅相逢處,江村日暮時。眾山遙對酒,孤嶼共題詩。廨宇鄰鮫室,人煙接島夷。鄉關萬餘里,失路一相悲。

箋　校
〔一〕按汲本、毛本、叢刊本皆未載此詩。

九日懷襄陽

去國似如昨,倏焉經杪秋。峴山望不見,風景令人愁。誰採籬下菊,應閑池上樓。宜城多美酒,歸與葛強遊。

歸故園作

北闕休上書,南山歸弊廬。不才明主棄,多病故人疎。白髮催年老,青陽逼歲除。永懷愁不寐,松月夜窗虛。

夜歸鹿門歌

山寺鳴鐘晝已昏,魚梁渡頭爭渡喧。人隨沙道向江村〔一〕,予亦乘舟歸鹿門。鹿門月照煙中樹,忽到龐公棲隱處。巖扉松徑長寂寥,唯有幽人夜來去。

箋　校
〔一〕道　汲本、毛本、叢刊本作"路",何校作"道",並一作"岸"。

夜渡湘江〔一〕

客行貪利涉,夜裏渡湘川。露氣聞芳杜,歌聲識採蓮。榜人投岸火,漁子宿潭煙。行侶遥相問,滂陽何處邊。

篓　校

〔一〕按此首與後《渡湘江問舟中人》,汲本、毛本、叢刊本皆載作崔國輔
　　詩。《文苑英華》卷二九一、《全唐詩》卷一六〇作孟浩然詩。

渡湘江問舟中人[一]

潮落江平未有風,扁舟共濟與君同。時時引領望天末,何處青山
是越中。

篓　校

〔一〕湘　毛本、叢刊本作“浙”。按詩中云“潮落”,又言“越中”,似以作
　　“浙”爲是。

崔國輔

　　國輔詩婉孌清楚,深宜諷味,樂府數章[一],古人不能
過也[二]。

篓　校

〔一〕樂府數章　《唐詩紀事》卷一五崔國輔條引殷璠語,此句下有“雖
　　絕句”三字。
〔二〕能過　汲本、毛本、叢刊本作“及”,何校作“能過”。

雜　詩

逢著平樂兒,論交鞍馬前。興酣一斗酒,恰用十千錢。後余在關

内,作事多迍邅。何處肯相救[一],徒聞寶劍篇。

箋　校

〔一〕何處肯相救　汲本、毛本、叢刊本作“何肯相救援”，何校仍同此
　　　宋本。

石頭瀨作

悵矣秋風時，余臨石頭瀨。日高見超遠[一]，望盡此州内。羽山數
點青[二]，海岸雜光碎。離離樹木少，瀄瀄波潮大。日暮千里帆，
南飛落天外。須臾遂入夜，楚色有微藹。尋遠跡已窮，遺榮事多
昧。一身猶未理，安得濟時代。且泛朝夕潮，荷衣蕙爲帶。

箋　校

〔一〕日　汲本、毛本作“因”。

〔二〕數　原爲墨丁，據汲本、毛本、叢刊本補。

魏宫詞

朝日點紅粧，擬上銅雀臺。畫眉猶未竟，魏帝使人催。

怨　詞[一]

妾有羅衣裳，秦王在時作。爲舞春風多，秋來不堪着。

箋　校

〔一〕按此詩又見《全唐詩》卷五一一，作張祜詩，題《牆頭花》，但宋蜀刻
　　　本《張承吉文集》未載。《又玄集》卷上、《才調集》卷一、《唐文粹》
　　　卷一二、《樂府詩集》卷四二、《唐詩紀事》卷一五並載作崔國輔詩。

少年行

遺却珊瑚鞭,白馬驕不行。章臺折楊柳,春日路傍情。

長信草

長信宮中草,年年愁處生。時侵珠履迹,不使玉堦行。

香風詞

洛陽梨花落如霰,河陽桃葉生復齊。坐怨玉樓春欲盡,紅綿粉絮裹粧啼。

對酒吟

行行日將夕,荒村古塚無人迹。蒙籠荆棘一鳥吟,屢勸提壺酤酒喫。古人不達酒不足,遺恨精靈傳此曲。寄言世上諸少年,平生且盡杯中緑。

漂母岸

泗水入淮處,南邊古岸存。秦時有漂母,於此饋王孫[一]。王孫初未遇,寄食何多論。後爲楚王來,黄金答母恩[二]。事迹貴在此,空傷千載魂。前臨雙小渚[三],上有一孤墩。遥望淮陰口[四],蒼蒼霧樹昏[五]。幾年崩塚色,每日落潮痕[六]。古地多陻阨,時哉不敢言。向夕淚沾裳,只宿蘆洲村。

〔一〕饋　汲本、毛本、叢刊本作“見”，何校作“饋”。

〔二〕黄金答母恩　按以上二句,汲本、毛本、叢刊本作“後爲淮陰侯,誓
　　　欲答母恩”。

〔三〕前臨雙小渚　汲本、毛本、叢刊本作“茫茫水中渚”。

〔四〕遥　原爲墨丁,據叢刊本補。

〔五〕霧樹　毛本、叢刊本作“煙霧”。

〔六〕每日落潮痕　汲本、毛本、叢刊本作“暮日落波痕”。

湖南曲

湖南送君去,湖北送君歸。湖裏鴛鴦鳥,雙雙他自飛。

秦中感興寄遠上人〔一〕

一丘常欲卧,三徑苦無資。北上非吾願,東林懷我師。黄金燃桂
盡,壯志逐年衰。日夕涼風至,聞蟬但益悲〔二〕。

箋　校

〔一〕按此詩又見《文苑英華》卷二一九、《全唐詩》卷一六〇,作孟浩
　　　然詩。

〔二〕但　原爲墨丁,據汲本、毛本、叢刊本補。

儲光羲

儲公詩,格高調逸,趣遠情深,削盡常言,挾風雅之

道〔一〕，得浩然之氣〔二〕。《述華清宮》詩云："山開鴻濛色，天轉招搖星。"又《遊茅山》詩云："山門入松柏〔三〕，天路涵虛空。"此例數百句，已略見《荆楊集》，不復廣引。璠嘗覩儲公《正論》十五卷〔四〕，《九經分一作外義疏》二十卷〔五〕，言博理當，實可謂經國之大才。

箋　校

〔一〕道　汲本、毛本、叢刊本作"迹"，何校作"道"。

〔二〕得　汲本、毛本、叢刊本無"得"字，何校補之。

〔三〕山　汲本、毛本、叢刊本作"小"，莫友芝臨毛校，謂作"小"誤。

〔四〕儲　原爲墨丁，各本均無，今據《唐詩紀事》卷二二儲光羲條引殷璠語補。

〔五〕分　汲本、毛本、叢刊本作"外"，無校注。何校同此宋本。

雜詩二章

秋氣肅天地，太行高崔嵬。猿狖清夜吟，其聲一何哀。寂寞掩圭蓽，夢寐遊蓬萊。琪樹遠亭亭，玉堂雲中開。洪崖吹簫笙，素女飄飄來。雨師既洗後〔一〕，道路無纖埃。鄙哉楚襄王，獨如雲陽臺。

渾胚本無象，末路多是非。達士志寥廓，所在能忘機。耕鑿時未至，還山聊採薇。虎豹對我蹲，鸞鷟傍我飛。仙人空中來，謂我勿復歸。絡繹爲君駕〔二〕，雲霓爲君衣。西近崑崙墟，可與世人違。

箋　校

〔一〕洗　汲本、毛本、叢刊本作"先"，何校作"洗"。

〔二〕絡繹　汲本、毛本、叢刊本作"格澤"，何校作"絡繹"。

效古二章

晨登涼風臺,目走邯鄲道[一]。曜靈何赫烈,四野無青草。大軍北集燕,天子西居鎬。婦人役州縣,丁男事征討。老幼相別離,泣哭無昏早。稼穡既殄絶,川澤復枯槁。曠哉遠此憂,冥冥商山皓。

東風吹大河,河水如倒流。河洲塵沙起[二],有若黄雲浮。頳霞燒廣澤,洪曜赫高丘。野老泣相逢[三],無地可蔭休。翰林有客卿,獨負蒼生憂。中夜起躑躅,思欲獻厥謀。君門峻且深,跂足空夷猶。

箋　校

〔一〕目　汲本、毛本、叢刊本作“暮”,何校作“目”。

〔二〕塵沙　毛本作“沙塵”。

〔三〕逢　汲本、毛本作“語”,何校作“逢”。

猛虎詞

寒亦不憂雪,飢亦不食人。人肉豈不甘,所惡傷明神。太室爲我宅,孟門爲我鄰,百獸爲我膳,五龍爲我賓。象馬一何威[一],浮江亦以仁。綵章曜朝日,牙爪雄武臣。高雲逐氣浮,厚地隨聲震。君能賈餘勇,日夕長相親。

箋　校

〔一〕象　毛本作“蒙”,叢刊本作“冪”。

射雉詞

曝暄理新翳,迎春射鳴雉。厚田遥一色[一],皋陸曠千里。遠聞呬喔聲,時見雙飛起。羃麗疎蒿下〔二〕,陪鰓深麥裏。顧敵仍忘生,爭雄方決死。仁心貴勇義,豈復能傷此。超遥下故墟,迢遞回高軌〔三〕。丈夫昔何苦,取笑歡妻子。

箋　校

〔一〕厚　汲本、毛本、叢刊本作"原",何校作"厚"。

〔二〕羃　叢刊本作"蒙"。

〔三〕軌　汲本、毛本作"畤"。

採蓮詞

淺渚荇花繁,深塘菱葉疎。獨往方自得,恥邀淇上姝。廣江無術阡,大澤絶方隅。浪中海童語,淚下鮫人居〔一〕。春鴈時隱舟〔二〕,新荷復滿湖〔三〕。采采乘日養〔四〕,不思賢與愚。

箋　校

〔一〕淚　汲本、毛本、叢刊本作"林",何校作"淚"。

〔二〕鴈　汲本、毛本作"荻",何校作"鴈"。

〔三〕荷　汲本、毛本、叢刊本作"萍",何校作"荷"。

〔四〕養　汲本、毛本、叢刊本作"暮",何校作"養"。

牧童詞

不言牧田遠,不道牧波深〔一〕。所念牛馴擾,不亂牧童心。圓笠覆我首,長蓑披我襟。方將憂暑雨,亦以懼寒陰。大牛隱層坂,小牛穿近林。同顏相鼓舞〔二〕,觸物成謳吟。取樂須臾間,寧問聲與音。

箋　校

〔一〕波　汲本、毛本、叢刊本作“陂”,何校作“波”。

〔二〕顔　汲本、毛本作“類”,何校作“顔”。

田家事

蒲葉日已長,杏花日已滋。老農要看此,貴不違天時。迎晨起飯
牛,雙駕耕東菑。蚯蟓土中出[一],田烏隨我飛。群鴿亂啄噪[二],
嗷嗷如道飢。我心多惻隱,顧此兩傷悲。撥食與田烏,日暮空筐
歸。親戚更相笑,我心終不移。

箋　校

〔一〕出　毛本作“少”。

〔二〕鴿　汲本、毛本、叢刊本作“合”,何校作“鴿”。

寄孫山人

新林二月孤舟還,水滿清江花滿山。借問故園隱君子,時時來去
在人間。

訓綦毋校書夢遊耶溪見贈之作

校文在仙掖,每有滄洲心。況以北窗下,夢遊清溪陰。春看湖口
漫,夜入迴塘深。往往纜垂葛,出舟望前林。山人松下飯,釣客蘆
中吟。小隱何足貢[一],長年固可尋。還車首東道,惠然若南金。
以我採薇意,傳之天姥岑。

箋　校

〔一〕小隱何足貢　按此下六句,汲本、毛本、叢刊本作:“水隱何足貴,勝
　　遊在幽尋。歷兹山水間,泠然若鳴琴。申章謝來意,愧莫酬知音。”

使過彈箏峽作

鳥雀知天雪,群飛復群鳴。原田無遺粟,日暮滿空城。達士憂世
務,鄙夫念王程。晨過彈箏峽,馬足凌兢行。雙壁隱靈耀,莫能知
晦明。皚皚堅冰色〔一〕,漫漫陰雲平。始信故人言〔二〕,苦節不
可貞。

箋　校

〔一〕色　汲本、毛本、叢刊本作“白”,何校作“色”。
〔二〕故　汲本、毛本作“古”,何校作“故”。

王昌齡

　　元嘉以還〔一〕,四百年內,曹、劉、陸、謝,風骨頓盡。頃有
太原王昌齡、魯國儲光羲,頗從厥迹。且兩賢氣同體別,而王
稍聲峻。至如“明堂坐天子,月朔朝諸侯。清樂動千門,皇風
被九州,慶雲從東來,泱漭抱日流”,又“雲起太華山,雲山互
明滅〔二〕。東峯始含景,了了見松雪”,又“楮柟無冬春,柯葉
連峯稠。陰壁下蒼黑,煙含清江樓。疊沙積爲岡,崩剝雨露
幽。石脉盡橫亘,潛潭何時流”,又“京門望西岳,百里見郊
樹。飛雨祠上來,靄然關中暮”,又“奸雄乃得志,遂使群心

搖。赤風蕩中原，烈火無遺巢。一人計不用，萬里空蕭條”，
又“百泉勢相蕩，巨石皆却立。昏爲蛟龍怒，清見雲雨入”，又
“去時三十萬，獨自還長安。不信沙場苦，君看刀箭瘢”，又
“蘆荻寒蒼江，石頭岸邊飲”，又“長亭酒未酣，千里風動地。
天仗森森練雪擬，身騎鐵驄白鷹臂”〔三〕，斯並驚耳駭目。今
略舉其數十句，則中興高作可知矣。余嘗覩王公《長平伏冤》
文、《吊枳道賦》〔四〕，仁有餘也。奈何晚節不矜細行，謗議沸
騰，再歷遐荒〔五〕，使知音歎惜。

箋　校

〔一〕元嘉　叢刊本作“昌齡”。按下有“頃有太原王昌齡”云云，則此處
　　　不當言昌齡，當以作元嘉爲是。《唐詩紀事》卷二四王昌齡條引殷
　　　璠語亦作元嘉。

〔二〕互　汲本、毛本、叢刊本作“相”，何校作“互”。

〔三〕鐵驄　汲本、毛本、叢刊本作“駿馬”，何校作“鐵驄”。

〔四〕文　毛本、叢刊本作“又”。按此應作“文”，屬上讀。

〔五〕再　毛本、叢刊本作“垂”。按王昌齡曾兩度貶謫，此處以作
　　　“再”是。

詠　史

荷畚至洛陽〔一〕，胡馬屯北門。天下裂其七，豺狼滿中原。明夷方
濟世，斂翼黃埃昏。披雲見龍顏，始蒙國士恩。位重謀亦深，所舉
無遺奔。長策寄臨終，東南不可吞。賢智苟有時，貧賤何所論。
唯然嵩山老，而後知我言。

箋　校

〔一〕荷畚至洛陽　按此句以下,汲本、毛本、叢刊本文字多有不同,難以
　　　對校,今全録如下:荷畚至洛陽,杖策遊北門。天下盡兵甲,豺狼滿
　　　中原。明夷方遘患,顧我徒崩奔。自慚菲薄才,誤蒙國士恩。位重
　　　任亦重,時危志彌敦。西北未及終,東南不可吞。進則恥保躬,退
　　　乃爲觸藩。嘆惜嵩山老,而後知其尊。

觀江淮名山圖

刻意吟雲山〔一〕,尤知隱淪妙。公遠何爲者,再詣臨海嶠。而我高
其風,披圖得遺照。援毫無逃境,遂展千里眺。淡掃荆門壁,明摽
赤城燒。青葱林間嶺,隱見淮海徼。但指香爐頂,無聞白猿嘯。
沙門既云滅,獨往豈殊調。感對懷拂衣,胡寧事漁釣。安期始遺
舄,千古謝榮耀。投迹庶可齊,滄浪有孤棹。

箋　校

〔一〕刻意吟雲山　按此句至"獨往豈殊調",汲本、毛本、叢刊本文字多
　　　有不同,難以對校,今録其文如下:刻意吟雲山,尤愛丹青妙。稜層
　　　列林巒,微茫出海嶠。而我高其人,揮毫發幽眇。持此尺寸圖,益
　　　展千里眺。淡掃霏素烟,濃抹映殘照。方溯江漢流,忽見淮海徼。
　　　湘纍謾興哀,英皇復誰吊。遐蹤既云滅,獨往豈殊調。

香積寺禮拜萬迴平等二聖僧塔

真無御北來,昔有乘花歸〔一〕。如彼雙塔内,孰能知是非。愚也駭
蒼生,聖哉爲帝師。當爲時世出,不由天地資。萬迴至此方〔二〕,
平等性無違。今我一禮心,億劫同不移。肅肅松柏下,諸天來

有時。

〔一〕昔有乘花歸　“昔”，汲本、毛本作“借”，何校作“昔”。又“花”，汲
　　　本、毛本、叢刊本作“化”，何校則仍作“花”。

〔二〕至　汲本、毛本作“主”，何校作“至”。

齋　心

女蘿覆石壁，溪水幽濛朧。紫葛蔓黄花，娟娟寒露中。朝飲花上
露，夜卧松下風。雲英化爲水，光彩與我同。日月蕩精魄，寥寥天
府空。

緱氏尉沈興宗置酒南溪留贈〔一〕

林色與溪古，深篁引幽翠。山樽在漁舟，棹月情已醉。始窮清源
口〔二〕，壑絶人境異。春泉滴空崖，萌草坼陰地。久之風榛寂，遠
聞樵聲至。海鴈時獨飛，永然滄洲意〔三〕。古時青冥客，滅迹淪一
尉。五子躊躇心〔四〕，豈其紛埃事。緱岑信所剚，濟北余乃遂。齊
物可任今〔五〕，息肩理猶未。卷舒形性表，脱略賢哲議。仲月期角
巾〔六〕，飯僧嵩陽寺。

〔一〕緱氏尉沈興宗　“宗”，原作“宋”，各本同。按“宋”應作“宗”，李
　　　華《三賢論》(《文苑英華》卷七四四、《全唐文》卷三一七)有“吴興
　　　沈興宗”。今逕改。

〔二〕始　叢刊本作“如”。

〔三〕洲　叢刊本作“州”，當誤。

〔四〕五　汲本、毛本、叢刊本作“吾”，何校作“五”。

〔五〕可任今　汲本、毛本、叢刊本作“意已會”，何校作“可任今”。

〔六〕仲　汲本、毛本、叢刊本作“乘”，何校作“仲”。

江上聞笛〔一〕

横笛怨江月，扁舟何處尋。聲長楚山外，曲遠胡關深。相去萬餘里，遥傳此夜心。寥寥浦溆寒，響盡惟幽林。不知誰家子，復奏邯鄲音。水客皆擁棹，空霜遂盈襟。羸馬望北走，遷人悲越吟。何當邊草白，旌節隴城陰。

箋　校

〔一〕上　叢刊本作“山”。

東京府縣諸公與綦毋潛李頎相送至白馬寺宿

鞍馬上東門，徘徊入孤舟。賢豪相追送，即棹千里流。赤峯落日在〔一〕，空波微煙收。宦薄忘機括，醉來却淹留。月明見古寺，林木登高樓〔二〕。南風開長廓〔三〕，夏夜如涼秋。江月照吳縣，西歸夢中遊。

箋　校

〔一〕赤　汲本、毛本作“遠”，何校作“赤”。

〔二〕木　汲本、毛本作“外”，何校作“木”。

〔三〕廓　汲本、毛本作“廊”，何校作“廓”。

趙十四見尋[一]

客來舒長簟,開閣延涼風。但見無絃琴,共君盡樽中。晚來常讀《易》,頃者欲還嵩。世事何須道,黃精且養蒙。嵇康殊寡識,張翰獨知終。忽憶鱸魚膾,扁舟往江東。

箋　校

〔一〕趙十四見尋　"尋",汲本、毛本作"訪",何校作"尋"。又《國秀集》卷下載此詩,題作《趙十四兄見尋》。

少年行

西陵俠少年,客過短長亭[一]。青槐夾兩路,白馬如流星。聞道羽書急[二],單于寇井陘。氣高輕赴難,誰顧燕山銘。

箋　校

〔一〕客過　汲本、毛本作"送客"。
〔二〕道　毛本、叢刊本作"有"。

聽人流水調子[一]

孤舟微月對楓林,分付鳴箏與客心。嶺色千重萬重雨,斷絃收與淚痕深。

箋　校

〔一〕人流　汲本作"流人",何校作"人流"。

長歌行

曠野饒悲風,颼颼黃蒿草[一]。繫馬倚白楊,誰知我懷抱。所是同懷者,相逢盡衰老。況登漢家陵[二],南望長安道。下有枯樹根,上有鼯鼠窠。高王子孫盡[三],千歲無人過。寶玉頻發掘,精靈其奈何。人生須達命,有酒且長歌。

箋　校

〔一〕蒿　叢刊本作“嵩”。按此以作“蒿”爲是。

〔二〕況　汲本、毛本作“北”,何校作“況”。

〔三〕王　汲本、毛本、叢刊本作“皇”,何校作“王”。

城傍曲

秋風鳴桑條,草白狐兔驕。邯鄲飯一作飽來酒未消[一],城北原平掣皂鵰。射殺空營兩騰虎,迴身却月佩弓弰。

箋　校

〔一〕飯　汲本、毛本作“飲”,無校注。何校同此宋本。叢刊本作“飯”,亦無校注。

望臨洮[一]

飲馬度秋水,水寒風似刀。平沙日未没,黯黯見臨洮。當昔長城戰,咸言意氣高。黃塵是今古,白骨亂蓬蒿。

箋　校

〔一〕按此詩題,汲本、毛本、叢刊本作《塞下曲》,何校同此宋本。

長信秋[一]

奉帚平明秋殿開[二],暫一作且將團扇共徘徊。玉顏不及寒鴉色,猶帶朝陽日影來〔三〕。

篋　校

〔一〕秋　汲本、毛本、叢刊本作“宮”，何校作“秋”。

〔二〕秋　汲本、毛本、叢刊本作“金”，何校作“秋”。

〔三〕朝　汲本、叢刊本作“昭”，何校作“朝”。

鄭縣陶大公館中贈馮六元二〔一〕

儒有輕王侯，脱略當世舉〔二〕。本家藍溪下，非爲漁弋故。無何困
躬耕〔三〕，且欲馳水路〔四〕。幽居與君近，出谷同所務〔五〕。昨日辭
石門，五年變秋露。雲龍未相感，干謁亦已屢。子爲黄綬羈，余忝
蓬山顧。京門望西岳，百里見郊樹。飛雨祠上來，靄然關中暮。
驅車鄭城宿，秉燭論往素。山月出華陰，開此河渚霧。清光比故
人，豁達展心晤。馮公尚戢翼，元子仍蹈步。拂衣易爲高，論迹難
有趣〔六〕。張范善終始，吾等豈不慕。罷酒當涼風，屈伸備冥數。

篋　校

〔一〕按詩題，汲本、毛本於“鄭縣”下有“宿”字。又“陶大”原作“陶
太”，據叢刊本改。按此處陶大即詩人陶翰。據《寶刻叢編》卷一
○華州：《唐華岳真君碑》，唐華陰丞陶翰撰，韋勝書。玄宗開元
十九年，加五岳神號曰真君，初建祠宇，立此碑。”（《集古録目》）王
昌齡此詩云：“子爲黄綬羈，予忝蓬山顧。”黄綬指縣丞，蓬山指秘
書省。詩又云：“昨日辭石門，五年變秋露。”王昌齡於開元十五年
登進士第，歷五年當即開元二十年，時陶翰正任華陰丞之職，在華
州，王昌齡往訪之，故云“陶大公館中”。按此處所考曾參陶敏《全
唐詩人名考證》稿本，謹此致謝。

〔二〕舉　汲本、毛本、叢刊本作"務"，何校作"舉"。

〔三〕何　汲本、毛本、叢刊本作"才"，何校作"何"。

〔四〕水　汲本、毛本、叢刊本作"永"，何校作"水"。

〔五〕務　汲本、毛本、叢刊本作"鶩"，何校作"務"。

〔六〕論　汲本、毛本作"淪"，何校作"論"。

從軍行

烽火城西百尺樓，黃昏獨坐海風秋。更吹橫笛關山月，無那金閨萬里愁。

賀蘭進明

員外好古博雅〔一〕，經籍滿腹，其所著述一百餘家〔二〕，頗究天人之際。又有古詩八十首，大體符于阮公，又《行路難》五首，並多新興。

箋　校

〔一〕雅　汲本、毛本、叢刊本作"達"，何校作"雅"。

〔二〕家　毛本、叢刊本作"篇"。

古意二章

秦庭初指鹿，群盜滿山東。忤意皆誅死，所言誰肯忠。武關猶未啓，兵入望夷宮。爲崇非涇水，人君道自窮。

崇蘭生澗底，香氣滿幽林。采采欲爲贈，何人是同心。日暮徒盈
抱一作把〔一〕，徘徊幽思深。慨然紉雜佩，重奏丘中琴。

篹　校
〔一〕抱　汲本、毛本作“把”，無校注。何校同此宋本。

行路難五首

君不見巖下井，百尺不及泉。君不見山上苗，數寸凌雲煙。人生
相命亦如此，何苦太息自憂煎。但願親友長含笑，相逢莫乏杖頭
錢。寒夜邀歡須秉燭，豈不長思花柳年。

君不見門前柳〔一〕，榮耀暫時蕭索久。君不見陌上花，狂風吹去落
誰家。鄰家思婦見之歎，蓬首不梳心歷亂。盛年夫婿長別離，歲
暮相逢色凋換。

君不見芳樹枝〔二〕，春花落盡蜂不窺。君不見梁上泥，秋風始高燕
不棲。蕩子從軍事征戰，蛾眉嬋娟守空閨。獨宿自然堪下淚，況
復時聞烏夜啼。

君不見雲間月〔三〕，暫盈還復缺。君不見林下風，聲遠意難窮。親
故平生或聚散，歡娛未盡樽酒空。歎息青青陵上柏，歲寒能有幾
人同。

君不見東流水，一去無窮已。君不見西郊雲，日夕空氛氳。群鴈
徘徊不能去，一鴈驚鳴復失群。人生結交在終始，莫以升沉中
路分。

〔一〕前　毛本、叢刊本作"中"。

〔二〕按此首又見《文苑英華》卷一九七、《樂府詩集》卷七〇、《全唐詩》
　　　卷二一三,作高適詩,當誤,詳參佟培基《高適塞下曲辨僞》(《中華
　　　文史論叢》一九八二年第二輯)。

〔三〕間　汲本、毛本、叢刊本作"中",何校作"間"。

崔　署

　　署詩言詞款要,情興悲涼[一],送別登樓,俱堪淚下。

箋　校

〔一〕署詩言詞款要,情興悲涼　汲本、毛本、叢刊本皆作"署詩多歎詞要
　　　妙,情意悲涼"。何校同此宋本。

宿大通和尚塔敬贈如闍黎廣心長孫鑄二山人

支公已寂滅,塔影山上古。更有真僧來,道場救諸苦。一承微妙
法,寓宿清净土。身心能自親,色想了無取[一]。森森松映月,漠
漠雲近户。雲外飛電明,夜來前山雨。然燈見棲鴿,作禮聞信鼓。
晚霽南軒開,秋華净天宇。願言長出世,謝爾及申甫。

箋　校

〔一〕想　汲本、毛本、叢刊本作"相",何校作"想"。按似以作"相"
　　　爲是。

潁陽東溪懷古

靈溪氛霧歇，皎鏡清心顔。空色不映水[一]，秋聲多在山。世人久疎曠，萬物皆自閑。白鷺寒更浴，孤雲晴未還。昔時讓王者，此地閑玄關[二]。無以躡高步，淒涼岑壑間。

箋　校

〔一〕不　汲本、毛本作"下"，何校作"不"。

〔二〕閑　汲本、毛本、叢刊本作"閉"，何校作"閑"。按玄關係佛家指喻入道之門，當以作"閉"爲是。岑參詩亦有"林下閉玄關"句（《全唐詩》卷二〇〇）。

途中晚發

晚霽長風裏，勞歌赴遠期。雲輕歸海疾，月滿下山遲。旅望因高盡，鄉心遇物悲。故林遙不見[一]，況在落花時[二]。

箋　校

〔一〕遙　毛本、叢刊本作"透"。

〔二〕況　毛本、叢刊本作"還"。

送薛據之宋州

無媒嗟失路，有道亦乘流。客處不堪別，異鄉應共愁。我生早孤賤，淪落居此州。風土至今憶，山河皆昔遊。一從文章士，兩京春復秋。君去問相識，幾人成白頭[一]。

〔一〕成　叢刊本作“今”。

早發交崖山還太室作

東林氣微白,寒鳥急高翔。吾亦自兹去,北山歸草堂。杪冬正三五,日月遥相望。蕭蕭過潁上[一],矓矓辨少陽。川冰生積雪,野火出枯桑。獨往路難盡,窮陰人易傷。傷此無衣客,如何蒙雨霜[二]。

箋　校

〔一〕蕭蕭　汲本、毛本、叢刊本作“肅肅”,何校作“蕭蕭”。

〔二〕霜　汲本、毛本作“雪”,何校作“霜”。

登水門樓見亡友張真期題望黄河作因以感興[一]

吾友東南美,昔聞登此樓。人隨川上去[二],書在壁中留。嚴子好真隱,謝公耽遠遊。清風初作頌,暇日復消憂。時與交友古[三],跡隨山水幽。已孤蒼生望,坐見黄河流。流落年將晚,悲涼物已秋。天高不可問,淹泣赴行舟[四]。

箋　校

〔一〕按《國秀集》卷下所載題作《登河陽斗門見張貞期題黄河詩因以感寄》。

〔二〕去　汲本、毛本作“逝”,何校作“去”。

〔三〕交友　汲本、毛本作“文字”,何校作“交友”。

〔四〕淹　汲本、毛本、叢刊本作“掩”,何校作“淹”。

王　灣

灣詞翰早著,爲天下所稱最者,不過一二。遊吳中,作
《江南意》詩云:“海日生殘夜,江春入舊年。”詩人已來,少有
此句[一]。張燕公手題政事堂,每示能文,令爲楷式。又《擣
衣篇》云:“月華照杵空隨一作悲妾,風響傳砧不到一作見
君。”[二]所有衆製,咸類若斯。非張、蔡之未曾見也[三],覺顏、
謝之彌遠乎!

箋　校

〔一〕少有　《唐詩紀事》卷一五王灣條引殷璠語作“無聞”。

〔二〕按以上二句,汲本、毛本、叢刊本皆無校注。

〔三〕未曾見也　《唐詩紀事》引作“輩未見”。

晚春詣蘇州敬贈武員外

蘇臺憶季常,飛棹歷江鄉。持此功曹掾,幼稱華省郎。貴門生禮
樂,明代秉文章。嘉郡位先進,洪儒名重揚。爰從姻婭貶,豈失忠
信防。萬里汗馬足,十年睽鳳翔。迥遷翼元聖,入拜佇惟良。別
業對南浦,群書滿北堂。意深投客盛[一],才重接筵光。陋學叨鉛
簡,弱齡詞翰場。神馳勞舊國,顏展利殊方[二]。際晚雜氛散[三],
殘春衆物芳。煙和疎樹滿,雨續小溪長[四]。旅拙感成慰,通賢顧
不忘。從來琴曲罷,開匣爲君張。

箋　校

〔一〕客　汲本、毛本作“轄”，何校作“客”。

〔二〕利　汲本、毛本作“別”，何校作“利”。

〔三〕晚　汲本、毛本作“曉”，何校作“晚”。

〔四〕溪　叢刊本作“江”。

哭補闕亡友綦毋學士

明代資多士，儒林得異材。書從金殿出，人向玉墀來。詞學張平子，風儀楮彥回。崇儀希上德，近侍接元台。曩契心期早，今遊宴賞陪。屢遷君擢桂，分尉我從梅。忽遇乘軺客，云傾搆廈材。泣爲洹水化，歎作太山頹。冀善初將慰〔一〕，尋言半始猜。位聯情易感，交密痛難裁。遠日寒旌暗，長風古輓哀。寰中無舊業，行處有新苔。反哭魂猶寄，終喪子尚孩。葬田門吏給，墳木路人栽。遼浭悲成往，俄傳寵今迴。玄經貽石室，朱紱耀泉臺。地古春長閉，天明夜不開。登山一臨哭，揮涕滿蒿萊〔二〕。

箋　校

〔一〕慰　叢刊本作“尉”。

〔二〕涕　汲本、毛本、叢刊本作“淚”，何校作“涕”。

晚夏馬升卿池亭即事寄京都一二知己〔一〕

忝職畿甸淹，濫陪時俊後。才輕策疲劣，勢薄常驅走。牽役勞風塵，秉心在巖藪。宗賢開別業，形勝代希偶。竹繞清渭湄，泉流白渠口。逡巡期賞會，揮忽變星斗。逮此乘務閑，因而訪幽叟。入來殊景物，行復洗紛垢。林靜秋色多，潭深月光厚。盛香蓮近坼，新味瓜初剖。滯拙懷隱淪〔二〕,書之寄良友。

箋　校

〔一〕馬升卿　汲本、毛本、叢刊本作"馬嵬叔卿",意費解。《唐詩紀事》
　　　卷一五引亦作"馬升卿"。

〔二〕淪　叢刊本作"論"。按似以作"論"是。

奉使登終南山

常愛南山遊,因而盡原隰。數朝至林嶺,百仞登嵬岌。石狀馬經
窮,苔色步緣入。物奇春貌改,氣遠天香集。虛洞策杖鳴,低雲拂
衣濕。倚巖見廬舍,入户欣拜揖〔一〕。問姓矜勤勞,示心教澄習。
玉英時共飯,芝草爲余拾。境絶人不行,潭深鳥空立。一乘從此
授,九轉兼是給。辭處若輕飛,憩來唯吐吸。閑襟超已勝〔二〕,迴
路倏而及。煙色松上深,水流山下急。漸平逢車騎,向晚睨城邑。
峯在野趣繁,塵飄宦情濕一作緝〔三〕。辛苦久爲吏,榮進何妄執。
日暮懷此山,倏然賦斯什〔四〕。

箋　校

〔一〕入　原作"人",據汲本、毛本改。

〔二〕閑　汲本、毛本作"開",何校作"閑"。

〔三〕濕　汲本、毛本作"澀",無校注。

〔四〕倏　毛本、叢刊本作"悠"。

奉同賀監林月清酌

華月當秋滿,朝軒假興同。净林新霽入,規院小涼通。碎影行筵

裏,搖花落酒中。清宵照人意〔一〕,併此助文雄。

箋　校

〔一〕照人　汲本、毛本作“凝爽”,何校作“照人”。又叢刊本“人”作
　　“然”。

江南意〔一〕

南國多新意,東行伺早天。潮平兩岸失,風正數帆懸〔二〕。海日生
殘夜,江春入舊年。從來觀氣象,惟向此中偏。

箋　校

〔一〕按《國秀集》卷下載此,題作《次北固山下》,首聯作“客路青山外,
　　行舟綠水前”,尾聯作“鄉書何處達,歸雁洛陽邊”。又五、六兩句
　　見《全唐詩》卷八一〇靈澈逸句,當誤。

〔二〕數　汲本、毛本、叢刊本作“一”,何校作“數”。

觀插箏〔一〕

虛室有秦箏,箏新月復清。絃多弄委曲,柱促語分明。曉怨擬繁
手〔二〕,春嬌入慢聲。近來惟此樂,傳得美人情。

箋　校

〔一〕插　汲本、毛本作“搊”,何校作“插”。又此詩《全唐詩》卷一一五
　　題下校云“一作祖詠詩”,未知何據。

〔二〕擬　汲本、毛本、叢刊本作“凝”,何校作“擬”。

閏月七日織女

耿耿曙河微,神仙此會稀〔一〕。今年七月閏,應得兩迴歸。

〔一〕會　汲本、毛本、叢刊本作“夜”，何校作“會”。

祖　詠

　　詠詩剪刻省静，用思尤苦，氣雖不高，調頗凌俗。至如
“霽日園林好，清明煙火新”，亦可稱爲才子也。

古意二首〔一〕

楚王意何去〔二〕，獨自留巫山。偏使世人見，迢迢江水間。駐舟春
潭裏〔三〕，誓願拜靈顔。夢寐覿神女，金沙鳴珮環。閑艷絶世姿，
令人氣力微。含笑默不語，化作朝雲飛。

夫差日淫放，舉國求妃嬪。自謂得王寵，代間無美人。碧羅象天
閣，坐輦乘芳春。宮女數千騎，常遊江水濱。年深玉顔老，時薄花
粧新。拭淚下金殿，嬌多不顧身。生前妬歌舞，死後同灰塵。塚
墓令人哀，哀於銅雀臺。

箋　校

〔一〕按此詩第一首“楚王意何去”又見宋臨安本《常建詩集》卷下，《全
　　　唐詩》卷一四四亦作常建詩。《唐文粹》卷一四上、《唐詩紀事》卷
　　　二〇則仍以祖詠作。
〔二〕意　汲本、毛本、叢刊本作“竟”，何校作“意”。
〔三〕潭　汲本、毛本作“澤”，何校作“潭”。

遊蘇氏別業〔一〕

別業本幽處，到來生隱心。南山當户牖，灃水映園林。竹覆經冬雪，庭昏未夕陰。寥寥人境外，閑坐聽春禽。

箋　校

〔一〕按此詩，《國秀集》卷下載，題作《薊門別業》。

清明宴劉司勳劉郎中別業〔一〕

田家復近臣，行樂不違親。霽日園林好，清明煙火新。以文常會友，唯德自成鄰。池照窗陰晚，杯香藥味春。簷前花覆地，竹外鳥窺人。何必桃源裏，深居作隱淪。

箋　校

〔一〕清明宴劉司勳劉郎中別業　汲本、毛本、叢刊本無上"劉"字，何校補之。按似以汲本等無此"劉"字爲是，即宴於勳司劉郎中別業，非有二人。

宿陳留李少府廳作

相知有叔卿，訟簡夜彌清。旅泊倦愁卧，空堂聞曙更。風簾搖燭影，秋雨帶蟲聲。歸思那堪説，悠悠恨洛城。

終南望餘雪作

終南陰嶺秀，積雪浮雲端。林表明霽色，城中增暮寒。

盧　象

象雅而不素[一]，有大體，得國士之風。曩在校書，名充
祕閣。其“靈越山最秀，新安江甚清”，盡東南之數郡。

箋　校

〔一〕雅而不素　汲本、毛本、叢刊本“不”作“平”，則“素”屬下讀。《唐
　　詩紀事》卷二六盧象條引殷璠語，亦作“雅而不素”，似是。

家叔徵君東溪草堂二首

開山十餘里，青壁森相倚。欲識堯時天，東溪白雲是。雷聲轉幽
壑，雲氣香流水。澗影生蟲蚭，巖端霧樫梓。大道終不易，君恩曷
能已。鶴羨無老時，龜言攝生理。浮年笑六甲，元化潛一指。未
暇掃雲梯，空慙阮家子。

今朝共遊者，得性閑未歸。已到仙人家，莫驚鷗鳥飛。水深嚴子
鈎，松掛巢父衣。雲氣轉幽寂，溪流無是非。名理未足羨，腥臊詎
所稀。自惟負貞意，何歲當食薇。

送綦毋潛

夫君不得意，本自滄海來。高足未云聘[一]，虛舟空復迴。淮南楓
葉落，灞岸桃花開。出處暫爲間[二]，沉浮安系哉。如何天覆物，
還遺世遺才。欲識秦將漢，嘗聞王與裴。離筵對寒食，別雨乘春

雷。會有辟書至，荷衣莫漫裁。

箋　校

〔一〕聘　汲本、毛本、叢刊本作"騁"，似是。何校仍作"聘"。

〔二〕間　汲本、毛本作"耳"，何校作"間"。按下句末字亦爲虛字，則此處似作"耳"爲是。

送祖詠

田家宜伏臘，歲晏子言歸。石路雪初下，荒林雞共飛[一]。東原多煙火，北澗隱寒暉。滿酌野人酒，倦聞鄰女機。胡爲困樵採，幾日被朝衣[二]。

箋　校

〔一〕林　汲本、毛本、叢刊本作"村"，何校作"林"。

〔二〕按以上二句，汲本、毛本、叢刊本作"胡爲困樵採，幾日罷朝衣"，何校同此宋本。

贈程校書[一]

客自岐陽來，吐音若鳴鳳。孤飛畏不偶，獨立誰見用。忽從披褐中，召入承明宮。聖人借顏色，言事無不通。慇懃極黎庶，感激論諸公。將相猜賈誼，圖書歸馬融。顧今久寂寞[二]，一歲麒麟閣。且共歌太平，勿嗟名宦薄。

箋　校

〔一〕校　毛本、叢刊本作"秘"。

〔二〕今　汲本、毛本作"余"，何校作"今"。

贈張均員外

公門世業昌,才子冠裴王。出自平津邸,還爲吏部郎。神仙餘氣色,列宿動輝光[一]。夜直南宮静,朝趨北禁長。時人窺水鏡[二],明主賜衣裳。翰苑飛鸚鵡,天池侍鳳凰。承歡儔日顧[三],末一作未紀後時傷。去去圖南遠,微才幸不忘。

箋　校

〔一〕動　毛本、叢刊本作“助”。

〔二〕水　叢刊本作“冰”。

〔三〕儔　按此字偏旁原爲墨丁,作“壽”字,今據汲本、毛本、叢刊本補。

追涼歷下古城西北隅此地有清泉喬木歷下舜林[一]

謝朓出華省,王祥貽佩刀。前賢真可慕,衰疾意空勞。貞悔不自卜,遊隨共爾曹。未能齊得喪,時復誦《離騷》。閑陰七賢地[二],醉餐三士桃。蒼苔虞舜井,喬木古城壕。漁父偏初狎[三],堯年不可逃。蟬鳴秋雨霽,雲白曉山高。咫尺傳雙鯉,吹噓勿一毛[四]。故人皆得路,誰肯念同袍。

箋　校

〔一〕歷下舜林　汲本、毛本、叢刊本皆無此四字,何校補之。

〔二〕陰　汲本、毛本作“蔭”,何校作“陰”。

〔三〕初　毛本、叢刊本作“相”。

〔四〕勿　汲本、毛本作“借”,何校作“勿”。

李 嶷

嶷詩鮮净有規矩[一]，其《少年行》三首，詞雖不多，翩翩然佚氣在目也[二]。

箋 校

〔一〕净　汲本、毛本作"潔"，何校作"净"。

〔二〕佚　汲本、毛本作"俠"，何校作"佚"。按《唐詩紀事》卷二二李嶷條引殷璠語作"俠"。

林園秋夜作

林卧避殘暑，白雲長在天。賞心既如醉[一]，對酒非徒然。月色偏秋露[二]，竹聲兼夜泉。涼風懷袖裏，兹意與誰傳。

箋 校

〔一〕醉　汲本、毛本作"此"，何校作"醉"。

〔二〕偏　叢刊本作"徧"。

淮南秋夜呈同僚[一]

天净河漢高，夜閑砧杵發。清秋忽如此，離恨應難歇。風亂池上螢一作萍[二]，露光竹間月。與君共遊處，勿作他鄉別。

箋 校

〔一〕同僚　汲本、毛本作"周偏"，何校作"同僚"。

〔二〕螢　汲本、毛本、叢刊本作“萍”，無校注。

少年行三首

十八羽林郎，戎衣侍漢王。臂鷹金殿側，挾彈玉輿傍。馳道春風起，陪遊出建章。

侍獵長楊下，承恩更射飛。塵生馬影滅，箭落鴈行稀。薄霧隨天仗，聯翩入瑣闈〔一〕。

玉劍膝邊橫，金杯馬上傾。朝遊茂陵道，夜宿鳳凰城。豪吏多猜忌，毋勞問姓名。

箋　校

〔一〕闈　汲本、毛本、叢刊本作“闌”，何校作“闈”。

閻　防

防爲人好古博雅〔一〕，其警策語多真素〔二〕。至如“荒庭何所有，老樹半空腹”，又“熊桂庭中樹，龍蒸棟裏雲”，皎然可信也。

箋　校

〔一〕古　毛本、叢刊本作“名”。

〔二〕其警策語多真素　《唐詩紀事》卷二六閻防條引殷璠語，“其”下有“詩”字，則當讀爲“其詩警策，語多真素”。

晚秋石門禮拜

輕策凌絕壁,招提謁金仙。舟車無遊徑,崖嶠乃屬天。躑躅淹昊
景,夷猶望新弦。石門變暝色,谷口生人煙。陽鴈叫平楚,秋風急
寒川。馳暉苦代謝,浮脆暫貞堅。永欲卧丘壑,息心依梵筵。誓
將歷劫願,無以物外牽[一]。

箋　校
〔一〕物外　汲本、毛本作"外物",何校作"物外"。

宿岸道人精舍

早歲參道風,放情已寥廓。重經因息侣[一],遂果巖中諾。斂迹辭
人間,杜門守寂寞。秋風剪蘭蕙,霜氣冷涼壑。山牖見然燈,竹房
聞搗藥。願言捨塵事,所趣非龍蠖。

箋　校
〔一〕經因息　汲本、毛本作"因息心",何校同此本。

夕次鹿門山作

龐公嘉遁所,浪迹難追攀。浮舟暝始至,抱杖聊自閑。雙闕開鹿
門,百谷集珠灣。噴薄湍上水,春容漂裏山。進原不足險[一],梁
壑未成艱。我行自中春,仲夏鳥綿蠻[二]。蕙草色已晚,客心殊未
還。遠遊非避地,訪道愛童顏。安能絢機巧[三],爭奪錐刀間。

箋　校
〔一〕進　汲本、毛本作"焦",何校作"進"。

〔二〕按以上二句,汲本、毛本作"我行自春仲,夏鳥忽綿蠻",何校同此
　　宋本。

〔三〕絢　汲本、毛本作"狗",何校作"絢"。似作"狗"是。

百丈溪新理茆茨讀書

浪迹棄人世,還山自幽獨。始傍巢由蹤,吾其獲心曲。荒庭何所
有,老樹半空腹。秋蛩鳴北林,暮鳥穿我屋。棲遲樂遵渚,恬曠寡
所欲。開封推盈虚[一],散帙改節目[二]。養閑度人事,達命知止
足。不學東國儒,俟時勞伐輻[三]。

箋　校

〔一〕封　汲本、毛本、叢刊本作"卦",何校作"封"。

〔二〕改　汲本、毛本作"攻",何校作"改"。

〔三〕伐　叢刊本作"代"。

與永樂諸公泛黄河作

煙深載酒入,但覺暮川虚。映水見山火,鳴榔聞夜漁。愛兹山水
趣,忽與人世踈。無暇燃官燭,中流有望舒。

附:汲古閣刻本《河岳英靈集》何焯批語

總批　此集所取,不越齊梁詩格,但稍汰其靡麗者耳。唐天寶以
　　　前詩人能窺建安門徑者,惟陳拾遺、李供奉、杜拾遺、元容州
　　　諸人,集中獨取供奉,又持擇未當。他如常建、王維,則古詩
　　　僅能法謝玄暉,近體僅能法(琮按法原作發,殆誤抄,今改正)
　　　何仲言,殆不足以傳建安氣骨也。
　　　此書多取警秀之句,緣情言志,理或未盡。
常建《吊王將軍墓》　此詩極爲雅健,然只似虞羲《出塞》,到不得
　　　鮑明遠也。　(篇末批)此是效吳叔庠體而反用之。　强千
　　　里,言千里有餘也。算法有强弱。宋刻詩集正作强,彊字乃
　　　不學者妄改。《才調集》作幾千里。山鬼鄰,所謂身死爲國
　　　殤也。
常建《宿王昌齡隱處》　滋苔紋,言人迹不至也。
常建《昭君墓》　起便從墓發端,與《明妃曲》不同。但後六句淺
　　　薄。　(篇末批)丹青景化執政者之事也。由來皆借明妃以
　　　發舒憤懣耳。不用黃金,致此屯播。第三險僻。
常建《送李十一臨溪》　("以言神仙尉,因致瑤華音"二句旁批)

此六朝遺調之最尵劣者。

常建《題破山寺後院》　此篇何減沈、謝。

李白總批　氣骨固爾奇古,然體調不似騷人。

李白《戰城南》　太白歌行,梁陳以來所未有也,殷氏獨以此稱之,
　　最有見。　（篇末批）才豪味短。太白詩自有深厚者,以貌取
　　則狹矣。

李白《野田黄雀行》　（篇末批）亦稍仿依明遠《空城雀》。

李白《詠懷》　獨摘此篇,吾所未喻。

李白《酬中都小吏斗酒雙鱗見贈》　（"斗酒雙魚表情素"句批）
　　"情素"下有十字云:"酒來我飲之,鱠作別離處。"最見筆妙,
　　删去則通篇索然,後半亦殊嫌繁濫矣。

李白《將進酒》　是供奉率爾遊戲之作,不爲豪也。

李白《烏棲曲》　亦是梁陳風調。

王維總批　永明以後,清詞麗句,摩詰殆集其成,若陶、謝風力,則
　　尚限以數仞之牆,此事要須讓子美獨步也。

王維《偶然作》　（"心中竊自思"句旁批）此亦太率。

王維《春閨》　似陰鏗。　此篇集中不載。

王維《息夫人怨》　當從《本事詩》書題云《寧王坐中賦》。　若直
　　詠古事,何味之有。

王維《隴頭吟》　曰少年,曰行人,曰老將,何其錯雜。　（篇末
　　批）落句却借他人致慎,婉而不迫。

王維《漁山神女》　六朝辭賦雖多,俱以四六體爲之,其去楚人
　　之辭遠矣。右丞此作固不足希風屈、宋,然非晋以後人所能
　　也。　（《送神》篇"來不語兮"旁批）二語風致佳絶。

王維《贈劉藍田》　無負於官，無求於世，則其人豈復可致也。

王維《送綦毋潛落第還鄉》　怎地委婉曲折。

劉眘虛總批　宗仰二謝，氣骨亦復清峻。

劉眘虛《暮秋揚子江寄孟浩然》　玄暉、仲言不復能過。

劉眘虛《寄江滔求孟六遺文》　溫然。

張謂《讀後漢逸人傳二首》　（第二首批）此篇尤近自然。

張謂《同孫搆免官後登薊樓懷歸作》　（“去年大將軍”句批）疑正
　　言嘗在王忠嗣幕下。　（篇末批）結語健。

張謂《贈喬林》　語健而意淺。

王季友總批　季友力追古人，而氣骨不副。

王季友《代賀支令譽贈沈千運》　似欲力變沈、宋舊體。

王季友《觀于舍人壁畫山水》　觀老杜“堂上不合生楓樹”、“十日
　　畫一水”二篇，覺此等都不復可觀也。

陶翰評語中“既多興象、復備風骨”句旁批　實不愧此二句語。

陶翰《經殺子谷》　（篇末批）明皇一日殺三子，此詩有爲而作。

陶翰《乘潮至漁浦作》　何減謝玄暉。

陶翰《出蕭關懷古》　唐初風調。

李頎總批　李頎歌行最爲理想。當云發調既浮，修詞復拙，乃善
　　別裁耳。

李頎《漁夫歌》　非高格，然饒佳致。

高適《見薛大臂鷹作》　又見李白集。

高適《封丘作》　流美。

高適《燕歌行》　此詩沈、宋之所不逮。梁陳體調，却自具風骨。

岑參總批　嘉州五言宗仰鮑照，不屑爲齊梁衰颯之語。若時無

李、杜,則碧海鯨魚,當歸巨手。集中採掇未盡其長也。

岑參《戲題關門》 (篇末批)頗古直而無味。殷君布衣者,是故喜錄之。

岑參《茂花歌》 (篇末批)"昨日花已老"下即接"人生不得長少年",始健,不特與《韋家花樹歌》相類也。

崔顥《贈王威古》 此等詩頗得鮑照一鱗半甲。

崔顥《贈懷一上人》 俗筆。 殷氏當以長篇難於敘致,故錄此篇詩,然太白長篇不乏佳者,舍健犢而策弊驢,何也。

崔顥《結定襄郡獄》 不似陶而命意得建安體骨矣。塞垣效吳庠叔體者,味反短也。

崔顥《江南曲》 (篇末批)崔公深得清商諸曲妙處,勝崔國輔。

崔顥《霍將軍篇》 (篇末批)凡陋無味,採詩者宜乎迄不一第也。

崔顥《黃鶴樓》 前半空闊。

薛據總批 薛詩語多慷慨,而根據輕薄。

薛據《初去郡齋書懷》 ("志士不傷物"二句旁批)安得此長者之言。

薛據《落第口號》 俚淺。

孟浩然總批 孟詩格調不高,造語尤爲淺率,老杜謬許爲句句堪傳,而耳鑒者遂並稱王孟,爲可笑也。然亦有佳者,此集却未採掇。

孟浩然殷璠評語中"全削凡體"句旁批 凡語正多。

崔國輔《香風詞》 無意味。

崔國輔《漂母岸》 亦無味。

儲光羲《雜詩二首》 儲詩骨氣殆過右丞,若吐屬清遠,傳難狀之景如在目前,恐爲不逮也。 （第一首篇末批）佳處不減太白。

儲光羲《猛虎詞》 遒麗似鮑。

王昌齡總批 當時儲、王並稱者,乃此二賢,非右丞也。

賀蘭進明《行路難五首》 法明遠而不屆精微。

王灣《江南意》 （篇末批）五、六開元治象也,進於雅矣。

盧象《送綦毋潛》 空闊磊砢。

集末跋 丁丑仲夏承筐書塾閱。鄭都官於殷、高二子深致抑揚,
然未足爲商周也。

（以上據北京圖書館藏傅增湘臨何焯批校本

汲古閣刻《唐人選唐詩八種》）

後 記

李珍華

　　《河岳英靈集》在中國詩歌史和文學理論史上的重要地位，前記已有所交待。這裏，我想就我個人怎麼走上研討此書的道路，和在研討過程中所產生的一些感受稍作一個回顧和總結。

　　我對唐代詩歌和詩論發生興趣是在六十年代中期開始的。那時，我正在密支根州立大學美國思想與語言系任教，課目包括美國現代詩人如艾理略和龐德等。爲了要探討印象派和象徵派的來龍去脈，中外相比，我不知不覺就從廿世紀的美國文壇追溯到十九世紀的法國文壇，然後一跳更跳入第九和第八世紀的中國文壇，重點放在杜甫的詩歌創作、詩論和他所處的那個時代的美學觀念和批評標準。從一九六五年到一九七〇年，這幾年中我摸索了一段路，也寫了幾篇試探性的文章和論文。《杜甫與韓幹畫馬》探討了從唐代到明清之際審美觀念的變異和它與每個時代宇宙觀的關連。《杜甫秋興八首的心理形態及其成篇過程》旨在瞭解這組詩所包含和反映杜甫在夔州的生活狀況和唐帝國的縮影，從而剖析"彩筆昔曾干氣象,白頭今望苦低垂"所呈現的"意愜關飛動,篇終接混茫"的藝術要求。同時在一些書評裏,我試圖提出新的觀點和研究方法。但我不久就意會到我的研究方向是不足以闡明"何時一杯酒,重與細論文"的實況和内涵的,更無論杜甫《論詩六絶句》的理論根據和批評對象。這主要是對唐代詩歌和文學理論,尤其是第八世紀中葉這一段,還欠缺全面的深入的瞭解。於是,我暫時把杜甫擺在一旁而走上《河岳英靈集》研討的這條漫長的道路。當時絶没有想到,這條路一走就是廿多年。

　　那時擺在我面前有待解決的有三個題目。一是《河岳英靈集》的理論體系和這個體系的承先啓後問題,包括它所標出的"興象"、"風骨"、"神來"、"氣來"、"情來"等等名詞術語的内涵和定義。一是它提出的聲律問題,這包括古詩和古體詩的抑揚律,包括平仄律和輕重律的探討。一是它的版本源流及作者生平和世界觀。這三個題目在我看來是互相關連的,内中尤以版本、文字、語句的確定,爲展開工作的最基本任務。這就是説,理論的探討是應該立足於文獻的整理上。那時我能够看到的是《四部叢刊》本和汲古閣本。這兩種本子有利於我工作的開展。但因爲我無緣讀到其他的明本和在世的宋本,我始終對我所作的一些分析和結論採取保留態度。既然香港有很多大大小小的藏書家和收藏家,有不少古物和古書流傳在私人手上,臺灣有一些圖書館藏有善本和孤本書,日本則有很多從中國流去的東西,於是從一九六八年起我就抱有僥倖之心,屢作遠東之行。不消説,我的香港之行是毫無所得。而臺灣嘛,也没有去成。問題出在我當時在林海音女士所辦的《純文學》雜誌上發表了一首叫做《給年代和年代的孩子們》的長詩。這首憶舊詩作不知何故引起注意,使我中止從香港回美國便路到臺灣的計劃。臺灣既沒有去成,我決定安排到日本去。承平岡武夫先生的妥善安排,我終於如願地在京都大學的人文研究所泡上整個夏天。書看了不少,也掌握了不少日本學者所寫的文章,只是所要找的一些本子還是無着。總的說來,從一九六八年到一九七一年這幾年中,我的時間還算沒有完全白花。漫長的歲月,給我帶來反覆思考的機會和摸索一些暫時還可以解決的課題。在同一段時間裏,我也開展了對王昌齡、王昌齡詩歌創作理論,和《河岳英靈集》音律說的研究。可以這麼說,我在等機會,希望有一天在大陸的圖書館裏或私人藏書家手上看到《河岳英靈集》的宋明版本。

中美恢復邦交的那年,我正在英國劍橋大學作一年的休假研究,完成了王昌齡評傳的書稿並交給出版社,同時在繼續摸索一些有關音韻學方面的專門知識。我正式跟中國學者取得直接聯繫是一九八二年。那年我有機會在古都西安渡過一整個夏天,飽嘗西北風光,暢游八百里秦川的勝迹,發一發思古之幽情。可惜的是,我錯過了中國唐代文學學會成立的盛會。這說明爲什麽學會在蘭州召開第二屆年會時,我不惜放棄其他的工作,千方百計地爭取參加那次的年會。真正使我感到來去無阻的一次是一九八六年在洛陽開的年會。洛陽我第一次去是一九七二年尼克松總統訪華的時候。舊地重遊,江山依舊,但氣氛完全不同。更有幸的是與會的學者,無論老中青,都把我當作自己人、老朋友看待,學問上無所不談。可以這麼說,洛陽這屆年會,除了奠定我與傅璇琮先生長期合作研究的基礎,還促進了我和已故河南大學華鍾彥教授合作探討古典詩歌的吟詠藝術。華先生古風高誼,和我作忘年之交,至今回想,尤覺親切。他有中國傳統的學者風度,道德文章都足以爲我典範。繼洛陽會議而來的,是我有機會到廈門和廈門大學周祖譔教授相處了一個夏天。到西安探問安旗教授和霍松林教授,到北京和傅璇琮先生商議會後的研究計劃,此後便是參加西北大學在一九八七年的第一屆周秦漢唐國際學術會議,有機會和郁賢皓、陳允吉、羅宗強、陳貽焮諸教授相處數日。會議路過北京時,我與傅璇琮先生在北圖一同看了我廿五年來夢寐以求的《河岳英靈集》的宋本。當時驚喜之情實非筆墨所能形容。高興之餘,我深深地體會到社會開放和學術交流的重要性。撫今思昔,我衷心希望開放門可以開的更寬一點,學術交流可以更加興旺發達一點。一九九〇年十一月在南京召開的唐代文學國際學術討論會上,又認識了更多的學者,特別使我高興的是有幸結識臺灣大學的羅聯添教授、東海大學的楊承祖教授,從他們那裏我感到中國傳統文化和治學精神,是那麼厚實,海峽兩岸雖相隔數十年,但一旦展開學術交流,却竟如此地一見如故。

　　從我個人來說,《河岳英靈集研究》之所以能够問世,是社會開放和學術交流這個大勢造成的。但除了這個大前題外,我還得着重強調國內學者給我的友誼和支持。生活在强烈競爭的美國現代社會裏,我對國內同行在學術、人品、道德、文章的高度修養特別敏感。在合作研究過程中,我尤其欽佩、感激徐敏霞女士的友誼、鼓勵,和學術上的幫助和指教。我遠處大洋彼岸,不能常來大陸作長期的圖書館研參工作。點校是一個超高度的學術活動。做這類工作須有高深的學術涵養,超人的耐力,無比的細心,敏捷的思考,明鋭的眼光。而這些條件,徐女士都全部具有。她校點的《十國春秋》是我經常使用獲益良多的一部書。《河岳英靈集》的彙校如果没有她的參與,是無法如願完成的。我尤其心感她在寒風凛冽的北京城,早出晚歸地擠公共汽車到北圖去抄查和復審核對材料。她不求名,不謀利,一切爲了學術友誼,堅決不肯署名爲作者之一,這使我既慚愧又感動。如果這本《河岳英靈集》點校本能爲唐詩研究者提供一個信實可靠的本子,大部分應歸功於她辛勤耕耘和無數心血。

最後,我謹向密州大學表示謝意。廿多年來,它不斷提供研究資金,使我可以南奔北走,到處看書找資料,耐心地等候研究項目的開花結果。這在講求高效率的社會裏是難能可貴的。

一九九一年三月於美國密支根州立大學